Libro del alumno

Reporteros internacionales 2

Autoras de las unidades de la edición internacional: Marcela Calabia, Sonia Campos, Maria Letizia Galli, Jorgelina Emilse San Pedro, María Signo Fuentes, Sara Ruth Talledo Hernández

Autores de las unidades de la edición original: Virginie Auberger Stucklé, Sandrine Debras, Milagros Carolina Hamon-Díaz, Sergi No, Delphine Rouchy, Leen Roussel-Decaluwé
Autoras de "Cine en español": Linda Dupuy, Latifa Heib

Revisión pedagógica: Agustín Garmendia
Coordinación editorial y redacción: Núria Murillo
Corrección: Sílvia Jofresa, Pablo Sánchez
Glosario: Juan Urbán, Silvia López
Traducción del glosario: Anexiam, S. L.
Diseño gráfico. Cubierta: Difusión **Interior:** Besada+Cukar
Maquetación: Elisenda Galindo, Aleix Tormo
Fotografías de los "reporteros": Óscar García Ortega
Ilustraciones: Paula Castel, Mar Guixé, Élise Hoogardie
Documentación: Raquel Trigo
Cartografía: Digiatlas, Netmaps y Esfera

Imágenes: **U1** p.14 Carlos Soler Martinez/Dreamstime, Francisco Goya,/Album, Grupo Editorial Bruño (de Sam Zipper, un crack incomprendido), p.15 arssecreta/iStock, p.16 Bryant Vegas (2010), p.17 José Antonio Jiménez-Barbero (2016), p.18 IES Élaios-Zaragoza (2016), p.19 imtmphoto/GettyImages, p.20 Diseño: Luis López. Imagen de la campaña "La otra Zaragoza", del proyecto "Made in Zaragoza", del Ayuntamiento de Zaragoza, p.21 fstop123/iStock, Brett Critchley/Dreamstime, Arturo Osorno/Dreamstime¡, wundervisuals/iStock, Arinahabicho8/Dreamstime, RoBeDeRo/iStock, p.22 GlobalP/iStock/Getty Images Plus, p. 25 beguima/Adobe Stock, p. 28 Francisco Goya, Oronoz/Album, Francisco Goya, Joseph Martin/Album, p. 29 Francisco Goya, Album, *Un día en mi barrio: el casco antiguo de Zaragoza* (2013), p. 30 Grupo Editorial Bruño (de Sam Zipper, un crack incomprendido), p. 31 Laia Sant, **U2** p. 32 Victor Torres/Dreamstime, TonyBaggett/GettyImages, Carla Fernández, Singapore International Festival of Arts (2016), p. 34 Martinmark/Dreamstime, p. 35 Antonio Maestro, devueltaconelcuaderno.blogspot.com (2015), Rosshelen/Dreamstime, p. 36 Artur Bogacki/Dreamstime, Laws1964/Dreamstime, Raulg2/Dreamstime, TomaszCzajkowski/Dreamstime, p. 38 photoba/GettyImages, ViktorLevi/Dreamstime, matejmm/iStock/GettyImages, ultramarinfoto/iStock/GettyImages, p. 39 Chaoss/Dreamstime, Kasto80/Dreamstime, Yurasova/Dreamstime, Benas324/ Dreamstime, Cosmopol/Dreamstime, Fabrizio Zanier/ Dreamstime, g-stockstudio/iStock, p. 41 mixetto/iStock, p. 42 Tempura/iStock/Getty Images Plus, p. 43 Martinmark/Dreamstime, Diego Delso/Wikipedia, p. 46 " Islas Canarias, vacaciones-espana.es (2016)", TonyBaggett/GettyImages, p.47 nyaivanova/Dreamstime, p.48 Carla Fernández, Singapore International Festival of Arts (2016), p.49 kali9/iStock/Getty Images Plus, **U3** p.50 Pierre-yves Babelon/Dreamstime, AlbertoLoyo/iStock/Getty Images Plus, *Regala igualdad*, Ministerio de la mujer y de la equidad de género, Gobierno de Chile (2016), p.51 Nostalgiaportena/Wikimedia Commons, p. 52 Lorena Etcheberry Rojas, p. 53 icarito.cl, Cheuntu/wikipedia, p. 54 Archivo Fotográfico Museo de la Educación Gabriela Mistral, p. 55 Robert Kneschke/Dreamstime, bowdenimages/iStock, 22tomtom/Dreamstime, MaFelipe/iStock, Goldenkb/Dreamstime, Pontus Edenberg/Dreamstime, Serrnovik/Dreamstime, Freepik, p. 56 Solaris_design/Dreamstime, Andrew Barker/Dreamstime, Wikimedia commons, Robert Kneschke/Dreamstime, Astrug/Dreamstime, Bjørn Hovdal/Dreamstime, artisteer/iStock, Evgeny Karandaev/Dreamstime, sdecoret/Adobe Stock, Jiri Hera/iStock, kaczka/iStock, Wikimedia commons, Csák István/Adobe Stock, Andi.es/Adobe Stock, ticketea.com, Kutt Niinepuu/Dreamstime, taringa.net, WesAbrams/iStock, p. 57 Jesús Martínez del Vas, p. 64 AlbertoLoyo/iStock/Getty Images Plus, Manuel Olascoaga/Wikimedia Commons, p. 65 Tito Alejandro Alarcon Pradena/GettyImages, *Conoce a nuestro rival: Chile* Selección Nacional de México (2016), p. 66 *Regala igualdad*, Ministerio de la mujer y de la equidad de género, Gobierno de Chile (2016), **U4** p. 62 Luciano Mortula/Dreamstime, Zina Seletskaya/Dreamstime, marrio31/iStock, p. 69 Ivan23g/Dreamstime, Victor Fraile Rodriguez/Getty Images, Al Bello/Getty Images, Pablo Audouard Deglaire/Wikimedia Commons, p. 70 Philippe Halsman. Salvador Dalí, Fundació Gala-Salvador Dalí, VEGAP, Barcelona, 2017, p. 71 Joseph Martin/Album, Salvador Dalí, Fundació Gala-Salvador Dalí, VEGAP, Barcelona, 2017, Albumculture-imagesfai/Album, Salvador Dalí, Fundació Gala-Salvador Dalí, VEGAP, Barcelona, 2017, akg/imagesAlbum, Salvador Dalí, Fundació Gala-Salvador Dalí, VEGAP, Barcelona, 2017, Tate Modern, Roman Samokhin/Dreamstime, Christian Bertrand/Dreamstime, p. 72 David Aliaga/Action Plus_GettyImages, SeanPavonePhoto/Adobe Stock, Ljupco/iStock, Philippe Halsman. Salvador Dalí, Fundació Gala-Salvador Dalí, VEGAP, Barcelona, 2017, Joseph Martin/Album, Salvador Dalí, Fundació Gala-Salvador Dalí, VEGAP, Barcelona, 2017, akg/imagesAlbum, Salvador Dalí, Fundació Gala-Salvador Dalí, VEGAP, Barcelona, 2017, Tate Modern, p. 73 *De un sueño a realidad. Sarai Gascón*, Seguros Santa Lucía (2016), p. 74 Narimbur/Dreamstime, p. 75 trazosdeltiempo.com, Ruben Ortega/Wikipedia, p. 76 4x6/iStock, p. 78 Manuel-F-O/iStock, p. 80 R. Gino Santa Maria/Shutterfree, Llc/Dreamstime, Katrina Brown/Dreamstime, Igor Terekhov/Dreamstime, Vadim Ponomarenko/Dreamstime, p. 82 Jiuguang Wang/wikimedia, Farek/Dreamstime, Zina Seletskaya/Dreamstime, Photoaliona/Dreamstime, p. 83 Rui Caldeira/Dreamstime, *Conocer Barcelona en un día*, Rosa Virginia (2016), p. 84 marrio31/iStock, Albumculture-imagesfai/Album, **5** p. 86 Stockcam/iStock/Getty Images Plus, Comisión Nacional para el Desarrollo de los Pueblos Indígenas, downtoxjabelle.blogspot, p. 87 Museo Nacional de Antropología (Ciudad de México), p. 88 Neil Lang/Dreamstime, Carolina Garcia Arand/Dreamstime, creativesunday2016/iStock, Lumenitos, Cortesía Editorial Planeta S.A. (2016), LucianoBibulich/iStock/Getty Images Plus, neilabbott, p. 89 Tutorial Día de Muertos", *Craftingeek* (2015), *Gran celebración y desfile del Día de Muertos, Ciudad de México*, Maxico Mexico (2016), FeliciaMontoya/iStock, p. 90 stevecoleimages/iStock/Getty Images Plus, Ron Sumners/Dreamstime, Aurinko/Dreamstime, taratata/iStock/Getty Images Plus, NYS444/iStock/Getty Images Plus, Dtiberio/Dreamstime, p. 91 kkong5/iStock, Jose Antonio Sánchez Reyes/Dreamstime, p. 93 serviciodetraductores.com, Alicja Neumiler/Dreamstime, p. 94 kyoshino/iStock, p. 95 wabeno/iStock, p. 96 ersinkisacik/iStock, p. 97 Piotr Polaczyk/iStock, p. 99 NB /Adobe Stock, Zerbor/Adobe Stock , design56/Adobe Stock , cartonin.es, p. 100 Comisión Nacional para el Desarrollo de los Pueblos Indígenas, Dinorah Alejandra Arizpe Valdés/Dreamstime, p. 101 OscarSoteno_AlejandroLinaresGarcia/wikimedia, Ciudad de México, Expedia.mx (2016), p. 102 downtoxjabelle.blogspot, p. 103 Deborah Lee Soltesz/Flickr**, Especial La ventana** p. 104 Jennifer Stone/Dreamstime, Vitmark/Dreamstime, p. 105 Ottoniel Chavajay, América Late, Argentina (2014), Sebaa78/Dreamstime, p. 106 camaralenta/GettyImages, obby Dagan/Dreamstime, José Guadalupe Posada/Wikimedia Commons (1913), p. 107 Joel Carillet/iStock/Getty Images Plus, Agcuesta/Dreamstime, **Cine en español** p. 108 *Zoogocho*, Bernardo Arellano (2008), p. 109 *Alicia en el país,* Esteban Larraín (2008), p. 110 *El viaje de Carol*, Imanol Uribe (2002), p. 111 *Mateo*, María Gamboa Jaramillo **Estrategias** p. 115 "Tutorial Día de Muertos", *Craftingeek* (2015) **Resumen gramatical** p. 122 nataliya7/Adobe Stock, p. 125 Marco Saracco/Adobe Stock, p. 127 apomare/iStockphoto, Imgorthand/iStockphoto, olm26250/iStockphoto, p. 128 D-Keine/iStockphoto

Textos: **U1** p. 17 José Antonio Jiménez-Barbero (2016), p. 19 CECILIA JAN/EDICIONES EL PAÍS, SL (2015), Datos de la OCDE/EDICIONES EL PAÍS, SL (2015), **U2** p. 34 Nani Arenas, laviajeraempedernida.com (2016), p. 35 Antonio Maestro, blogspot.com (2015), p. 36 canariasworld.com (2016) **U3** p. 53 GrupoCOPESA (2009), p. 54 Archivo Fotográfico Museo de la Educación Gabriela Mistral (1947) / Memoria Chilena (www.memoriachilena.cl), **U4** p. 72 Carlota Fominaya, ABC, 2015, p. 84 Gobierno del País Vasco (2008), **U5** p. 90 Naye Cerón, El viento me despeina (2016), p. 102 Clarín.com - Clarín Digital (2016)

Vídeos: **U1** DIA Group (2013) **U2** Islas Canarias, vacaciones-espana.es (2016) Carla Fernández, Singapore International Festival of Arts (2016) **U3** Selección Nacional de México (2016) **U4** *De un sueño a realidad. Sarai Gascón*/Seguros Santa Lucía; Rosa Virginia Gubaira (2016) **U5** Craftingeek *(2015)*; Maxico Mexico; Expedia.mx (2006) **Cine en español** *Zoogocho,* Bernardo Arellano (2008); *Alicia en el país* Esteban Larraín (2008); *El viaje de Carol,* Imanol Uribe (2002); *Mateo,* María Gamboa Jaramillo (2008)

C/ Trafalgar, 10, entlo. 1ª
08010 Barcelona - España
Tel.: (+34) 932 680 300
Fax: (+34) 933 103 340
editorial@difusion.com

www.difusion.com

ISBN: 978-84-16943-80-7
Impreso en España por Gómez Aparicio

Introducción

Reporteros internacionales es un manual de español que facilitará a los adolescentes de todo el mundo acercarse al mundo que se expresa en español.

Esta obra apuesta por una didáctica inclusiva en todos sus aspectos: tipografía de alta legibilidad, lenguaje gráfico muy claro y propuestas adaptadas a todos los estudiantes, incluidos aquellos con necesidades específicas de aprendizaje.

En la creación de este manual, hemos perseguido un triple objetivo. Por un lado, ofrecer al profesor de español propuestas didácticas originales, dinámicas y efectivas, diseñadas para facilitar el aprendizaje. Por otro, responder a las necesidades y los intereses de los adolescentes para asegurar su motivación e involucrarlos en el proceso de aprendizaje. Y por último, dotar a los estudiantes de herramientas para que desarrollen su autonomía y sean capaces de explorar nuevos contenidos lingüísticos y culturales.

Reporteros internacionales 2 presenta:

- Unidades protagonizadas por **jóvenes reporteros procedentes de España y Latinoamérica**.
- **Secuencias de trabajo ágiles** que se completan con un entretenido **proyecto final**.
- Una **progresión lingüística natural y muy cuidada**, sintetizada de manera visual y accesible en los apartados de *Mi gramática*.
- Divertidos **mapas mentales** que recogen el vocabulario más importante de cada unidad para facilitar su aprendizaje.
- Numerosas **actividades lúdicas y juegos**, ideales para fomentar la **interacción oral dentro del aula**.
- Una especial atención a la **realidad cultural del mundo hispano**, presentada a través de documentos escritos y audiovisuales a menudo auténticos.
- Espacios para desarrollar las **competencias intercultural y cívica**: el apartado *Somos ciudadanos*.
- Una sección dedicada a las **estrategias de estudio y aprendizaje**.
- Numerosas propuestas de trabajo con internet y herramientas digitales en nuestra página web **campus.difusion.com**

Los recursos digitales de Reporteros internacionales 2 en campus.difusion.com

- Libro digital interactivo
- Libro del profesor
- Exámenes
- Audios y vídeos
- Transcripciones de los audios
- Fichas de apoyo para el profesor
- Fichas de apoyo para el estudiante
- Actividades interactivas
- Mapas mentales
- Fichas de léxico
- Gramaclips
- Soluciones
- Glosarios
- *Mis estrategias de aprendizaje* traducidas al inglés, al francés, al portugués y al alemán.

¡Con numerosos recursos gratuitos!

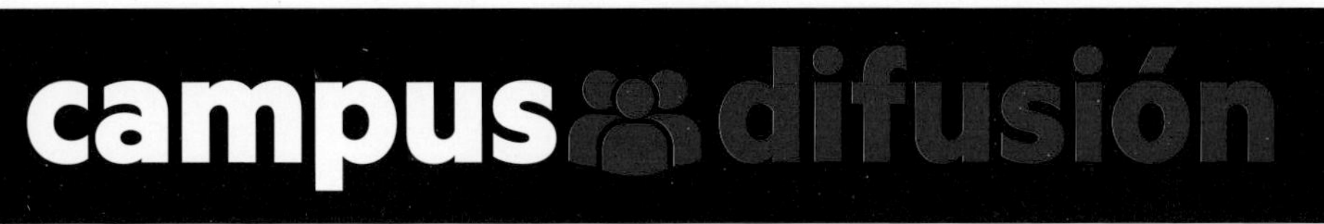

Cómo es Reporteros internacionales • LAS UNIDADES

LA PÁGINA DE ENTRADA

Un **mapa** para descubrir el país y la ciudad del reportero o reportera de la unidad.

El **índice** de la unidad nos presenta las herramientas de comunicación, el léxico y la gramática que se practicarán y los talleres de lengua que harán los alumnos.

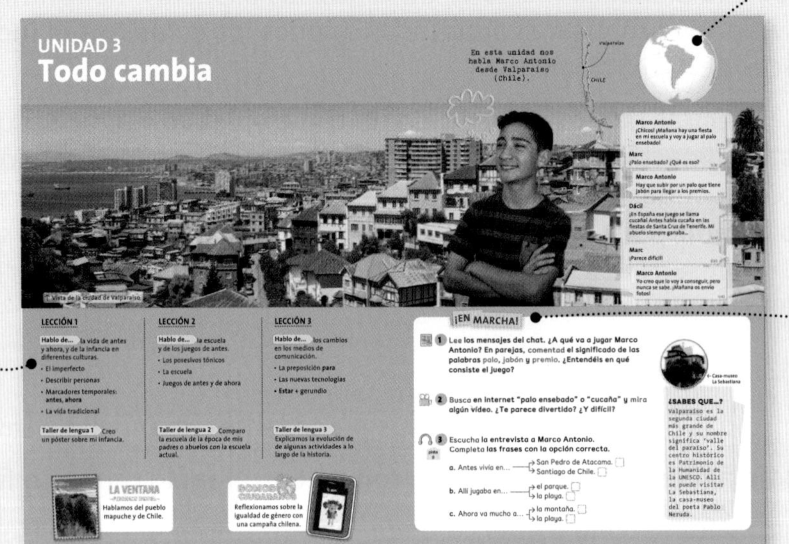

¡En marcha! Dos actividades cortas, una de comprensión escrita y otra de comprensión oral, para **entrar en contacto** con los temas de la unidad.

LAS TRES LECCIONES

Cada lección propone, en una doble página, una **secuencia didáctica** completa en la que los alumnos interactúan con documentos interesantes, se apropian de nuevos contenidos lingüísticos y practican diferentes actividades de la lengua.

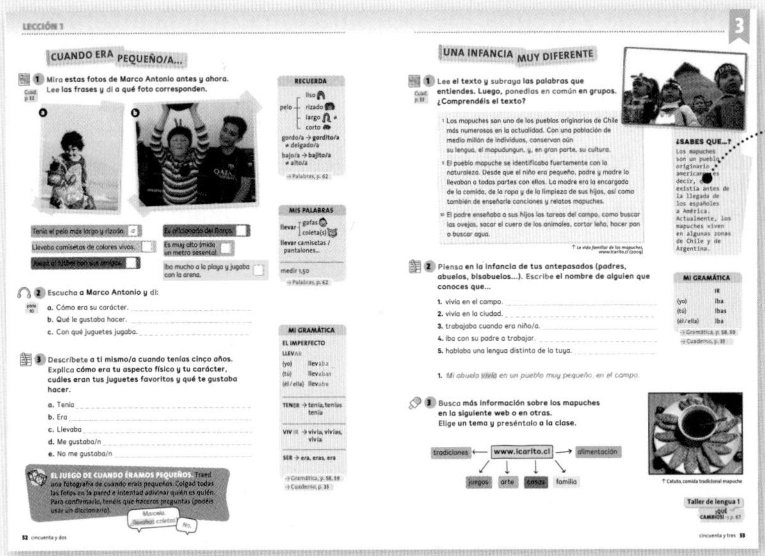

¿Sabes que...? Notas culturales sobre España y Latinoamérica.

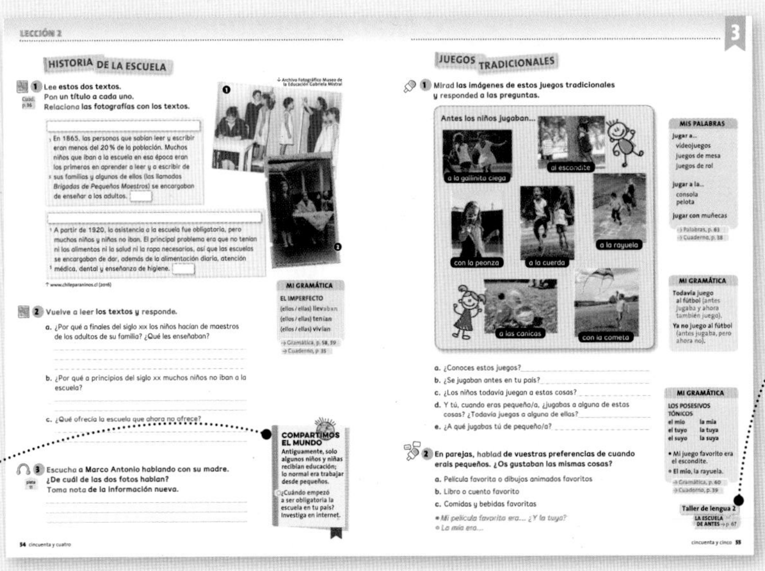

Compartimos el mundo.
Actividades cortas que muestran a los estudiantes **nuevas realidades** sociales y culturales que los ayudan a entender **el mundo que los rodea**.

Talleres de lengua. Al final de cada lección, se propone una **tarea** que estimula la creatividad y la imaginación de los estudiantes, que ponen en práctica todo lo que han aprendido de **forma cooperativa**, en un **contexto real** y con el objetivo de crear un **producto final**.

LAS UNIDADES

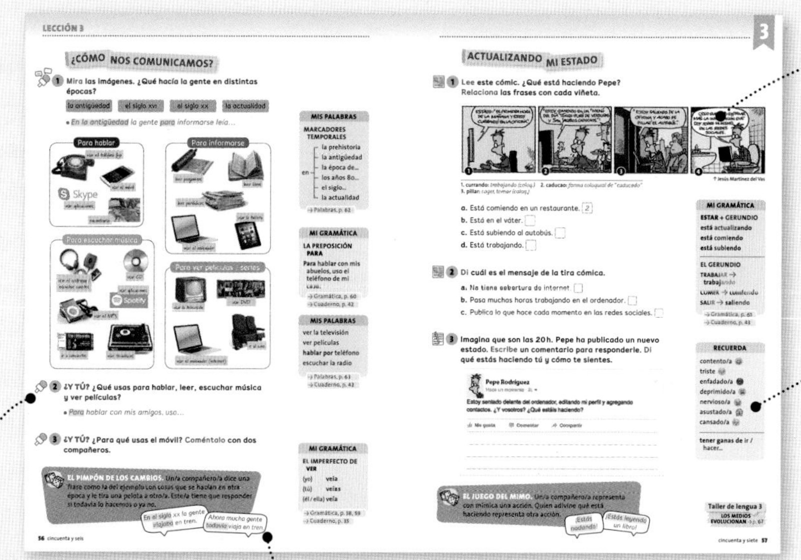

Documentos muy variados (vídeos, textos, fotografías, dibujos, carteles...), a menudo reales y siempre motivadores.

Mis palabras, **Mi gramática** y **Recuerda**. Cuadros de ayuda que los alumnos pueden consultar en el momento de hacer las actividades.

Los recuadros de gramática son de color verde y los de léxico, de color lila.

¿Y tú? Actividades que convierten el universo del **estudiante** en el **centro del aprendizaje**.

Juegos para aprender de manera **lúdica y cooperativa**.

MI GRAMÁTICA

Esquemas, explicaciones y ejemplos para cada tema gramatical de la unidad.

Esta sección se identifica por el **color verde**.

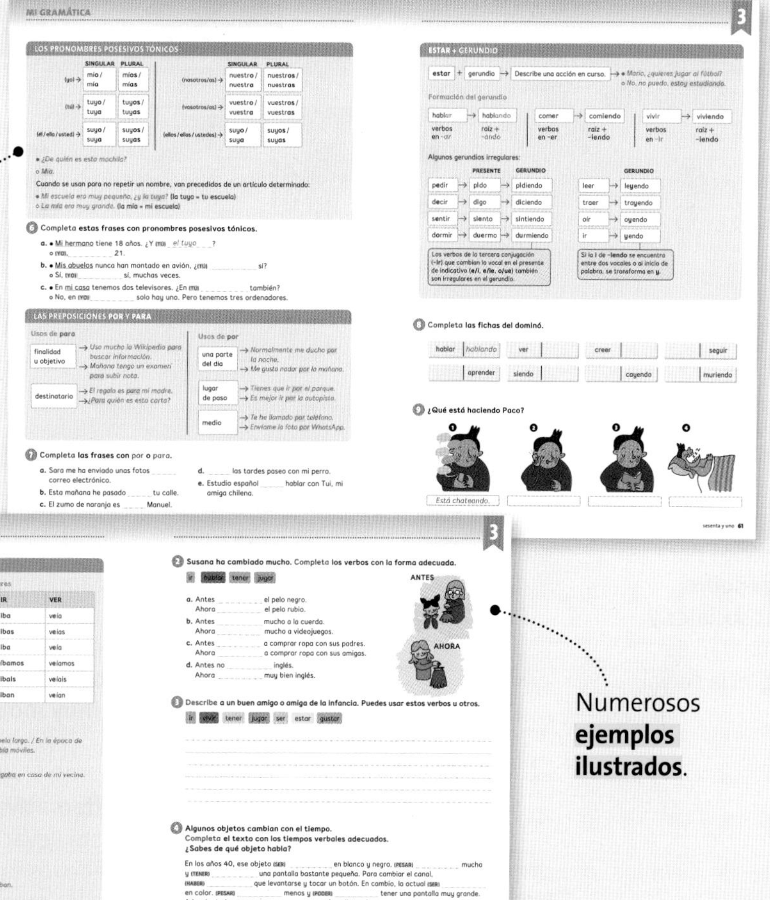

Numerosos **ejemplos ilustrados**.

Numerosas **actividades** que ayudan a apropiarse de las reglas gramaticales.

MIS PALABRAS

Un divertido **mapa mental ilustrado** recoge las palabras más importantes de la unidad.

¡Crea tu mapa mental! Una propuesta para adaptar el mapa mental a las necesidades y a los intereses de los alumnos, y desarrollar la **autonomía** y la **competencia para aprender a aprender**.

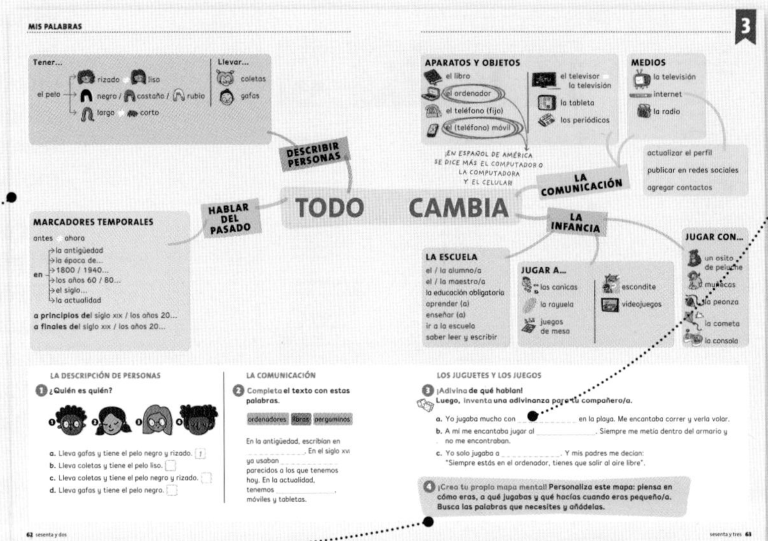

MIS PALABRAS

3

Tener...
el pelo → rizado / liso; negro / castaño / rubio; largo / corto

Llevar...
coletas
gafas

DESCRIBIR PERSONAS

APARATOS Y OBJETOS
el libro
el ordenador
el teléfono (fijo)
el (teléfono) móvil
el televisor / la televisión
la tableta
los periódicos

¡EN ESPAÑOL DE AMÉRICA SE DICE MÁS EL COMPUTADOR O LA COMPUTADORA Y EL CELULAR!

MEDIOS
la televisión
internet
la radio

actualizar el perfil
publicar en redes sociales
agregar contactos

LA COMUNICACIÓN

TODO CAMBIA

HABLAR DEL PASADO

MARCADORES TEMPORALES
antes / ahora
en → la antigüedad; la época de...; 1800 / 1940...; los años 60 / 80...; el siglo...; la actualidad
a principios del siglo XIX / los años 20...
a finales del siglo XIX / los años 20...

LA INFANCIA

LA ESCUELA
el / la alumno/a
el / la maestro/a
la educación obligatoria
aprender (a)
enseñar (a)
ir a la escuela
saber leer y escribir

JUGAR A...
las canicas
la rayuela
juegos de mesa
escondite
videojuegos

JUGAR CON...
un osito de peluche
muñecas
la peonza
la cometa
la consola

LA DESCRIPCIÓN DE PERSONAS

1 ¿Quién es quién?

a. Lleva gafas y tiene el pelo negro y rizado. 1
b. Lleva coletas y tiene el pelo liso.
c. Lleva coletas y tiene el pelo negro y rizado.
d. Lleva gafas y tiene el pelo negro.

LA COMUNICACIÓN

2 Completa **el texto con estas palabras.**

ordenadores | libros | pergaminos

En la antigüedad, escribían en ______. En el siglo XVI ya usaban ______ parecidos a los que tenemos hoy. En la actualidad, tenemos ______, móviles y tabletas.

LOS JUGUETES Y LOS JUEGOS

3 ¡Adivina **de qué hablan!** **Luego,** inventa **una adivinanza para tu compañero/a.**

a. Yo jugaba mucho con ______ en la playa. Me encantaba correr y verla volar.
b. A mí me encantaba jugar al ______. Siempre me metía dentro del armario y no me encontraban.
c. Yo solo jugaba a ______. Y mis padres me decían: "Siempre estás en el ordenador, tienes que salir al aire libre".

4 ¡Crea tu propio mapa mental! **Personaliza este mapa: piensa en cómo eras, a qué jugabas y qué hacías cuando eras pequeño/a. Busca las palabras que necesites y añádelas.**

62 sesenta y dos — sesenta y tres 63

Actividades significativas que ayudan a adquirir el vocabulario de la unidad.

Actividades de **comprensión escrita** y **comprensión audiovisual**.

LA VENTANA

Un interesante **reportaje** con el que los alumnos aprenden más sobre la **cultura** de la ciudad o el país de la unidad.

Un **vídeo** sobre algún **aspecto cultural** de interés del país o de la ciudad del reportero.

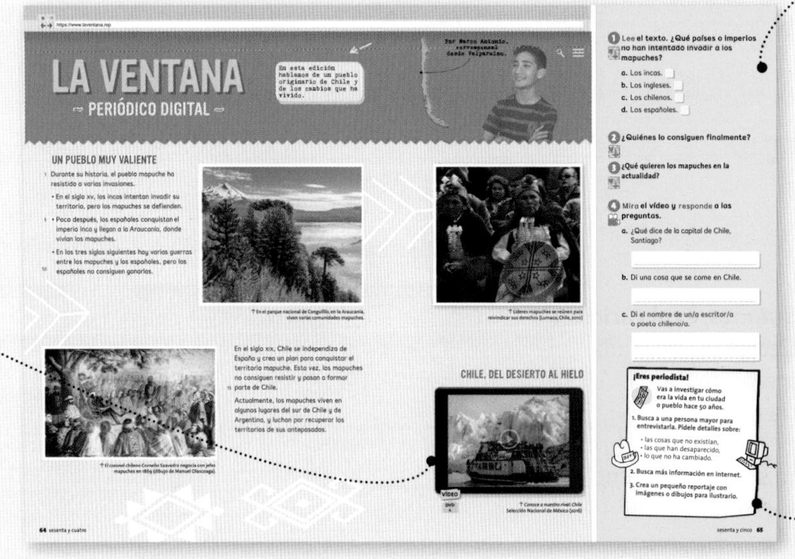

https://www.laventana.rep

LA VENTANA
PERIÓDICO DIGITAL

En esta edición hablamos de un pueblo originario de Chile y de los cambios que ha vivido.

Por Marco Antonio, corresponsal desde Valparaíso.

UN PUEBLO MUY VALIENTE

Durante su historia, el pueblo mapuche ha resistido a varias invasiones.

- En el siglo XV, los incas intentan invadir su territorio, pero los mapuches se defienden.
- Poco después, los españoles conquistan el imperio inca y llegan a la Araucanía, donde vivían los mapuches.
- En los tres siglos siguientes hay varias guerras entre los mapuches y los españoles, pero los españoles no consiguen ganarlos.

↑ En el parque nacional de Conguillío, en la Araucanía, viven varias comunidades mapuches.

↑ Líderes mapuches se reúnen para reivindicar sus derechos (Lumaco, Chile, 2010)

↑ El coronel chileno Cornelio Saavedra negocia con jefes mapuches en 1869 (dibujo de Manuel Olascoaga).

En el siglo XIX, Chile se independiza de España y crea un plan para conquistar el territorio mapuche. Esta vez, los mapuches no consiguen resistir y pasan a formar parte de Chile.

Actualmente, los mapuches viven en algunos lugares del sur de Chile y de Argentina, y luchan por recuperar los territorios de sus antepasados.

CHILE, DEL DESIERTO AL HIELO

VÍDEO
DVD 4

↑ *Conoce a nuestro rival: Chile*
Selección Nacional de México (2016)

64 sesenta y cuatro

1 Lee **el texto. ¿Qué países o imperios no han intentado invadir a los mapuches?**

a. Los incas.
b. Los ingleses.
c. Los chilenos.
d. Los españoles.

2 **¿Quiénes lo consiguen finalmente?**

3 **¿Qué quieren los mapuches en la actualidad?**

4 Mira **el vídeo y** responde **a las preguntas.**

a. ¿Qué dice de la capital de Chile, Santiago?
b. Di una cosa que se come en Chile.
c. Di el nombre de un/a escritor/a o poeta chileno/a.

¡Eres periodista!

Vas a investigar cómo era la vida en tu ciudad o pueblo hace 50 años.

1. Busca a una persona mayor para entrevistarla. Pídele detalles sobre:
   - las cosas que no existían,
   - las que han desaparecido,
   - lo que no ha cambiado.
2. Busca más información en internet.
3. Crea un pequeño reportaje con imágenes o dibujos para ilustrarlo.

sesenta y cinco 65

¡Eres periodista! Una propuesta de **minitarea individual** para hacer investigaciones guiadas en internet y crear artículos cortos, vídeos, entrevistas, etc., y convertirse en reportero.

SOMOS CIUDADANOS

Al final de cada unidad, textos o vídeos para **reflexionar sobre cuestiones sociales y cívicas**: igualdad de género, justicia social, etc.

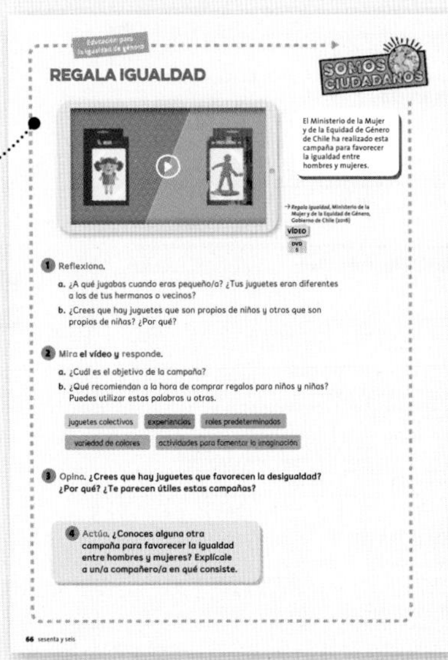

REGALA IGUALDAD

SOMOS CIUDADANOS

El Ministerio de la Mujer y de la Equidad de Género de Chile ha realizado esta campaña para favorecer la igualdad entre hombres y mujeres.

→ *Regala igualdad*, Ministerio de la Mujer y de la Equidad de Género, Gobierno de Chile (2016)

VÍDEO
DVD 5

1 Reflexiona.

a. ¿A qué jugabas cuando eras pequeño/a? ¿Tus juguetes eran diferentes a los de tus hermanos o vecinos?
b. ¿Crees que hay juguetes que son propios de niños y otros que son propios de niñas? ¿Por qué?

2 Mira **el vídeo y** responde.

a. ¿Cuál es el objetivo de la campaña?
b. ¿Qué recomiendan a la hora de comprar regalos para niños y niñas? Puedes utilizar estas palabras u otras.

juguetes colectivos | experiencias | roles predeterminados | variedad de colores | actividades para fomentar la imaginación

3 Opina. **¿Crees que hay juguetes que favorecen la desigualdad? ¿Por qué? ¿Te parecen útiles estas campañas?**

4 Actúa. **¿Conoces alguna otra campaña para favorecer la igualdad entre hombres y mujeres? Explícale a un/a compañero/a en qué consiste.**

66 sesenta y seis

MIS TALLERES DE LENGUA

Tres tareas para **poner en práctica** lo aprendido en cada lección **con un objetivo concreto y muy motivador**.

Alternativas para llevar a cabo los talleres de las maneras más variadas (utilizando internet, ordenadores...).

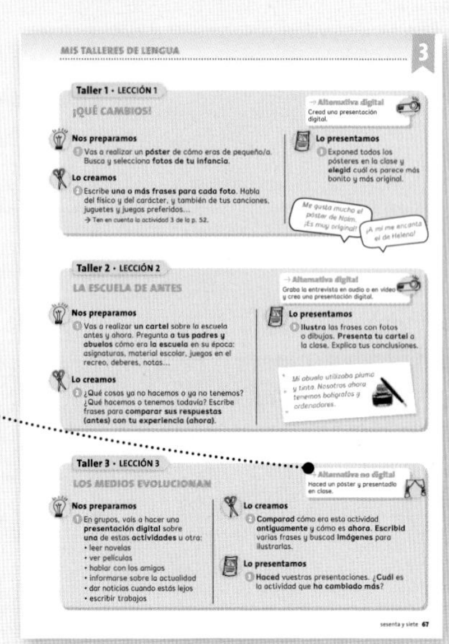

MIS TALLERES DE LENGUA

3

Taller 1 · LECCIÓN 1

¡QUÉ CAMBIOS!

→ Alternativa digital
Cread una presentación digital.

Nos preparamos
1 Vas a realizar un **póster** de cómo eras de pequeño/a. Busca y selecciona **fotos de tu infancia**.

Lo creamos
2 Escribe **una o más frases para cada foto**. Habla del físico y del carácter, y también de tus canciones, juguetes y juegos preferidos...
→ Ten en cuenta la actividad 3 de la p. 52.

Lo presentamos
3 Exponed todos los pósteres en la clase y **elegid** cuál os parece más bonito y más original.

Taller 2 · LECCIÓN 2

LA ESCUELA DE ANTES

→ Alternativa digital
Graba la entrevista en audio o en vídeo y crea una presentación digital.

Nos preparamos
1 Vas a realizar **un cartel** sobre la escuela antes y ahora. Pregunta **a tus padres y abuelos** cómo era **la escuela** en su época: asignaturas, material escolar, juegos en el recreo, deberes, notas...

Lo creamos
2 ¿Qué cosas ya no hacemos o ya no tenemos? ¿Qué hacemos o tenemos todavía? Escribe frases para **comparar sus respuestas (antes) con tu experiencia (ahora)**.

Lo presentamos
3 **Ilustra** las frases con fotos o dibujos. **Presenta tu cartel** a la clase. Explica tus conclusiones.

Mi abuelo utilizaba pluma y tinta. Nosotros ahora tenemos bolígrafos y ordenadores.

Taller 3 · LECCIÓN 3

LOS MEDIOS EVOLUCIONAN

→ Alternativa no digital
Haced un póster y presentadlo en clase.

Nos preparamos
1 En grupos, vais a hacer una **presentación digital** sobre **una** de estas **actividades** u otra:
- leer novelas
- ver películas
- hablar con los amigos
- informarse sobre la actualidad
- dar noticias cuando estás lejos
- escribir trabajos

Lo creamos
2 **Comparad** cómo era esta actividad **antiguamente** y cómo es **ahora**. **Escribid** varias frases y buscad **imágenes** para ilustrarlas.

Lo presentamos
3 **Haced** vuestras presentaciones. ¿**Cuál** es la actividad que **ha cambiado más**?

sesenta y siete 67

EL DOSIER ESPECIAL LA VENTANA

Dos ediciones especiales del periódico de los reporteros que tratan sobre las **fiestas y tradiciones** de diferentes lugares de España y Latinoamérica.

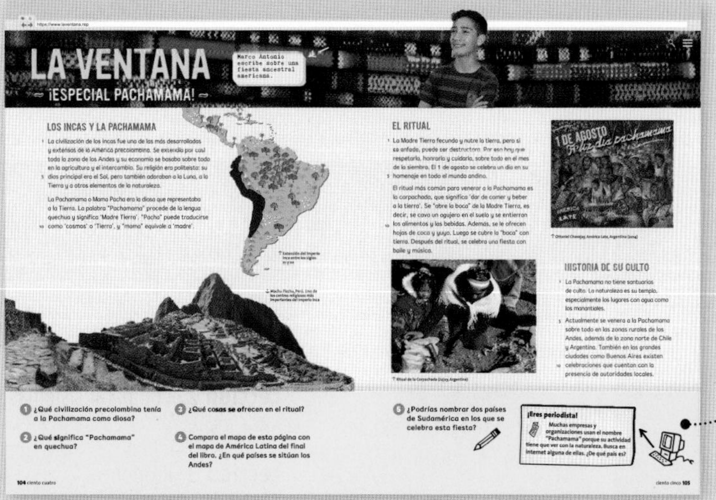
LA VENTANA
¡ESPECIAL PACHAMAMA!
LOS INCAS Y LA PACHAMAMA
EL RITUAL
HISTORIA DE SU CULTO

Con **actividades** de comprensión escrita y una propuesta de **¡Eres periodista!**

CINE EN ESPAÑOL

Propuestas para trabajar con cuatro fragmentos de **películas en español** y descubrir el cine español y latinoamericano.

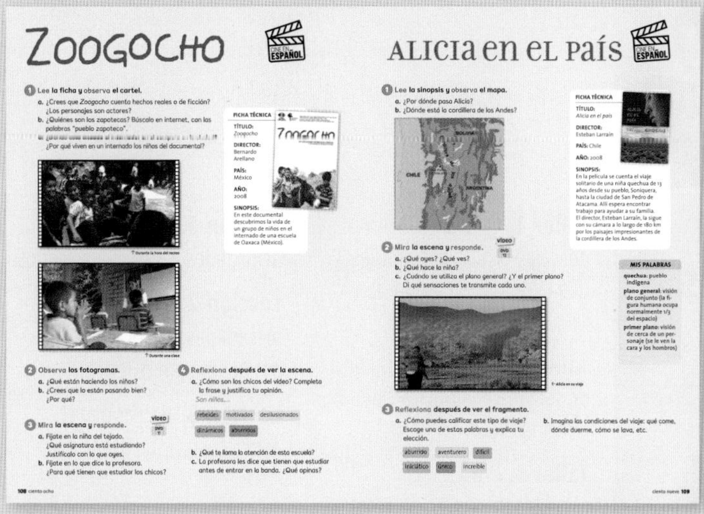
Zoogocho
Alicia en el país

EL DOSIER MIS ESTRATEGIAS DE APRENDIZAJE

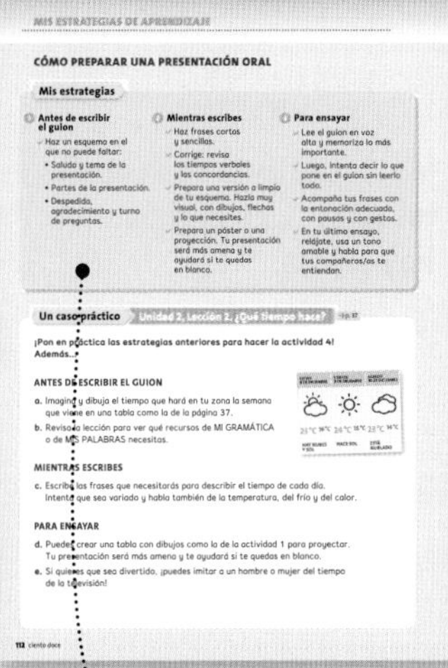
CÓMO PREPARAR UNA PRESENTACIÓN ORAL

Estrategias de aprendizaje aplicadas a diferentes actividades o secciones de *Reporteros internacionales 2*.

Con un **resumen de las estrategias más importantes**, que los alumnos podrán aplicar a algunas situaciones.

EL DOSIER RESUMEN GRAMATICAL

Resumen gramatical

Todos los contenidos gramaticales de *Reporteros internacionales 2*.

Glosario

EL DOSIER GLOSARIO

Las palabras más importantes de cada unidad traducidas al inglés, francés y portugués.

Índice

Reporteros internacionales 2

LÉXICO	CULTURA	SOMOS CIUDADANOS
• El estado de ánimo y el carácter • Los lugares de la escuela • Actividades de tiempo libre • Expresiones para proponer y rechazar planes **Repaso:** El carácter (vol. 1); las asignaturas y los horarios escolares (vol. 1); la localización (vol. 1)	• La ciudad de Zaragoza • El sistema educativo español: horarios, vacaciones, notas... • Algunos períodos históricos de Zaragoza • **Vídeo (reportaje):** *Un día en mi barrio: el casco antiguo de Zaragoza* Conocemos un barrio animado y con mucha historia.	EDUCACIÓN EMOCIONAL • **Póster:** *La mediación escolar* La resolución de conflictos escolares practicada por los estudiantes de una escuela española. 
• Actividades deportivas y turísticas • Los accidentes geográficos • Los medios de transporte • El tiempo atmosférico • Expresiones para valorar actividades y experiencias: **dar miedo**, **dar pereza**... • Los números a partir de 100 **Repaso:** Las actividades de tiempo libre (U1)	• Las islas Canarias • El Teide • Los guanches: los primeros habitantes de las Canarias • El Parque Nacional de Timanfaya • **Vídeo (reportaje):** *Islas Canarias* Conocemos los lugares más turísticos y descubrimos las actividades que se pueden hacer.	EDUCACIÓN PARA LA JUSTICIA SOCIAL • **Vídeo (reportaje):** *El futuro hecho a mano* Las mujeres de una comunidad indígena mexicana desarrollan su economía gracias al diseño y la confección de ropa. 
• La descripción física (II) • Los juguetes y los juegos • Los modos de vida tradicionales • La escuela • Los medios de comunicación • Las nuevas tecnologías **Repaso:** La descripción física (vol. 1)	• Las primeras escuelas de Chile • Los juegos tradicionales • Los mapuches: tradiciones y lucha actual • **Vídeo (reportaje):** *Chile, del desierto al hielo* Conocemos las costumbres y la diversidad geográfica de este país.	EDUCACIÓN PARA LA IGUALDAD DE GÉNERO • **Vídeo (campaña):** *Regala igualdad* Una campaña chilena para promover la no discriminación desde la infancia. 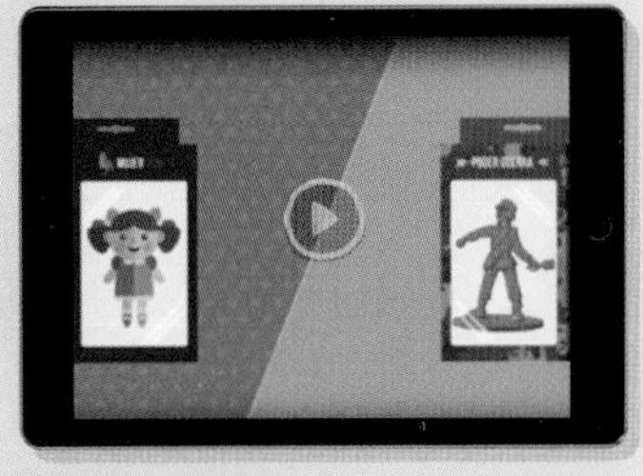

	TALLERES DE LENGUA	COMUNICACIÓN	GRAMÁTICA
UNIDAD 4 **Jóvenes extraordinarios** *Nos habla Marc desde Barcelona.* p. 68	**Taller 1.** Creo la línea del tiempo de la vida de un personaje famoso. **Taller 2.** Escribimos la biografía de una persona que admiramos. **Taller 3.** Hago una entrevista a un/a compañero/a.	**Lección 1.** Hablar de la vida y de la obra de un artista. **Lección 2.** Hablar de la infancia y de la adolescencia de deportistas. **Lección 3.** Reflexionar sobre la personalidad y el talento en la adolescencia.	• El pretérito indefinido • Marcadores temporales (III): **a los 5 años**, **en 1985**... • La duración • **A** + CD de persona • Los ordinales
UNIDAD 5 **Gente creativa** *Nos habla Guadalupe desde Ciudad de México.* p. 86 	**Taller 1.** Creo un tutorial para fabricar un objeto. **Taller 2.** Organizamos un desfile de moda. **Taller 3.** Imaginamos y representamos una escena en una tienda de ropa.	**Lección 1.** Hablar de las cosas que tenemos y describir los pasos para crear un objeto. **Lección 2.** Hablar de la ropa, de la forma de vestir y de lo que expresa. **Lección 3.** Hablar de la ropa y desenvolverse en una tienda.	• La combinación de pronombres de CD y CI • Los demostrativos • Los interrogativos (II): **cuál/es**, **cuánto/a/os/as**... • **Querer** + infinitivo • **Necesitar** + infinitivo • **Repaso:** Los interrogativos (vol. 1); los pronombres de CI (vol. 1) y de CD (U2); algunos usos de **para** (U3); la duración (U4)

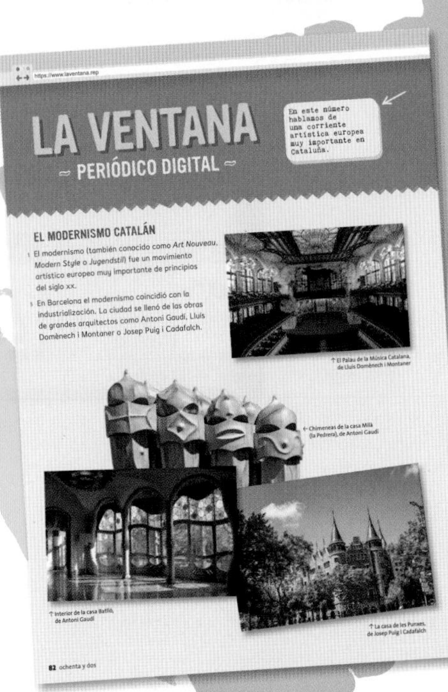

LA VENTANA
— PERIÓDICO DIGITAL —

En este número hablamos de una corriente artística europea muy importante en Cataluña.

EL MODERNISMO CATALÁN

El modernismo (también conocido como Art Nouveau, Modern Style o Jugendstil) fue un movimiento artístico europeo muy importante de principios del siglo XX.

En Barcelona el modernismo coincidió con la industrialización. La ciudad se llenó de las obras de grandes arquitectos como Antoni Gaudí, Lluís Domènech i Montaner o Josep Puig i Cadafalch.

El Palau de la Música Catalana, de Lluís Domènech i Montaner

Chimeneas de la casa Milà (la Pedrera), de Antoni Gaudí

Interior de la casa Batlló, de Antoni Gaudí

La casa de les Punxes, de Josep Puig i Cadafalch

82 ochenta y dos

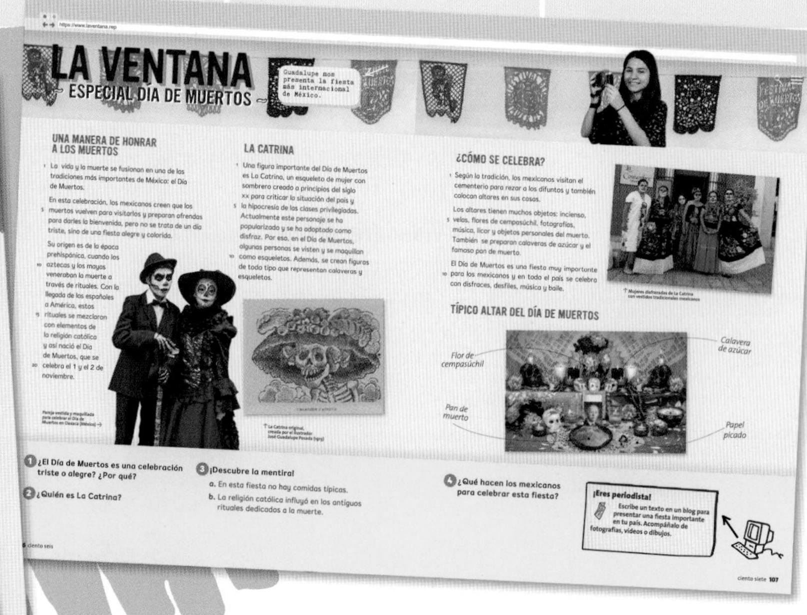

LA VENTANA
ESPECIAL DÍA DE MUERTOS

Guadalupe nos presenta la fiesta más internacional de México.

UNA MANERA DE HONRAR A LOS MUERTOS

LA CATRINA

¿CÓMO SE CELEBRA?

TÍPICO ALTAR DEL DÍA DE MUERTOS

1 ¿El Día de Muertos es una celebración triste o alegre? ¿Por qué?

2 ¿Quién es La Catrina?

3 ¡Descubre la mentira!
a. En esta fiesta no hay comidas típicas.
b. La religión católica influyó en los antiguos rituales dedicados a la muerte.

4 ¿Qué hacen los mexicanos para celebrar esta fiesta?

¡Eres periodista! Escribe un texto en un blog para presentar una fiesta importante en tu país. Acompáñalo de fotografías, vídeos o dibujos.

LÉXICO	CULTURA	SOMOS CIUDADANOS
• La biografía (I): **nacer**, **morir**, **conocer a**... • Profesiones artísticas: **pintor/a**, **escultor/a**... • La vida deportiva: **éxito**, **ganar**, **perder**, **medalla**, **campeón/a**... • La personalidad y la actitud **Repaso:** El estado de ánimo y el carácter (vol. 1 y U1)	• El artista Salvador Dalí • La actriz Anna Castillo • Los deportistas Sarai Gascón, Luis Suárez y Gisela Pulido • El modernismo catalán y el arquitecto Antoni Gaudí • **Vídeo (reportaje):** *Sarai Gascón: de un sueño a realidad* • **Vídeo (videoblog):** *Conocer Barcelona en un día* Desde el Tibidabo hasta la Barceloneta, recorremos los puntos más turísticos de la ciudad.	EDUCACIÓN EMOCIONAL • **Actividad:** *¿Cuánto nos queremos?* Concienciarse sobre la importancia de la autoestima mediante una actividad práctica. 
• La ropa • Los materiales y los objetos • Los colores (III) • Instrucciones para hacer manualidades: **cortar**, **pegar**... • Los verbos **llevar** y **llevarse** • Los verbos **poner** y **ponerse** **Repaso:** Los colores (vol. 1)	• La celebración del Día de Muertos • La artesanía mexicana • **Vídeo (videoblog):** *Tutorial Día de Muertos* • **Vídeo (reportaje):** *Conocemos Ciudad de México* Conocemos una ciudad de contrastes, colores y sorpresas.	EDUCACIÓN PARA LA IGUALDAD DE OPORTUNIDADES • **Artículo:** *Diversidad en la moda* Una diseñadora guatemalteca con síndrome de Down se abre camino en el mundo de la moda. 

ZOOGOCHO

CINE EN ESPAÑOL

1 Lee **la ficha y** observa **el cartel.**
a. ¿Crees que *Zoogocho* cuenta hechos reales o de ficción? ¿Los personajes son actores?
b. ¿Quiénes son los zapotecas? Búscalo en internet, con las palabras "pueblo zapoteco".
c. ¿Dónde está situado el internado: en el campo o en la ciudad? ¿Por qué viven en un internado los niños del documental?

FICHA TÉCNICA
TÍTULO: *Zoogocho*
DIRECTOR: Bernardo Arellano
PAÍS: México
AÑO: 2008
SINOPSIS: En este documental descubrimos la vida de un grupo de niños en el internado de una escuela de Oaxaca (México).

↑ Durante la hora del recreo

↑ Durante una clase

2 Observa **los fotogramas.**
a. ¿Qué están haciendo los niños?
b. ¿Crees que lo están pasando bien? ¿Por qué?

3 Mira **la escena y** responde. VÍDEO DVD 11
a. Fíjate en la niña del tejado. ¿Qué asignatura está estudiando? Justifícalo con lo que oyes.
b. Fíjate en lo que dice la profesora. ¿Para qué tienen que estudiar los chicos?

4 Reflexiona **después de ver la escena.**
a. ¿Cómo son los chicos del vídeo? Completa la frase y justifica tu opinión.
Son niños...
rebeldes · motivados · desilusionados · dinámicos · aburridos
b. ¿Qué te llama la atención de esta escuela?
c. La profesora les dice que tienen que estudiar antes de entrar en la banda. ¿Qué opinas?

108 ciento ocho

ALICIA EN EL PAÍS

CINE EN ESPAÑOL

1 Lee **la sinopsis y** observa **el mapa.**
a. ¿Por dónde pasa Alicia?
b. ¿Dónde está la cordillera de los Andes?

FICHA TÉCNICA
TÍTULO: *Alicia en el país*
DIRECTOR: Esteban Larraín
PAÍS: Chile
AÑO: 2008
SINOPSIS: En la película se cuenta el viaje solitario de una niña quechua de 13 años desde su pueblo, Soniquera, hasta la ciudad de San Pedro de Atacama. Allí espera encontrar trabajo para ayudar a su familia. El director, Esteban Larraín, la sigue con su cámara a lo largo de 180 km por los paisajes impresionantes de la cordillera de los Andes.

2 Mira **la escena y** responde. VÍDEO DVD 12
a. ¿Qué oyes? ¿Qué ves?
b. ¿Qué hace la niña?
c. ¿Cuándo se utiliza el plano general? ¿Y el primer plano? Di qué sensaciones te transmite cada uno.

MIS PALABRAS
quechua: pueblo indígena
plano general: visión de conjunto (la figura humana ocupa normalmente 1/3 del espacio)
primer plano: visión de cerca de un personaje (se le ven la cara y los hombros)

← Alicia en su viaje

3 Reflexiona **después de ver el fragmento.**
a. ¿Cómo puedes calificar este tipo de viaje? Escoge una de estas palabras y explica tu elección.
aburrido · aventurero · difícil · iniciático · único · increíble
b. Imagina las condiciones del viaje: qué come, dónde duerme, cómo se lava, etc.

ciento nueve 109

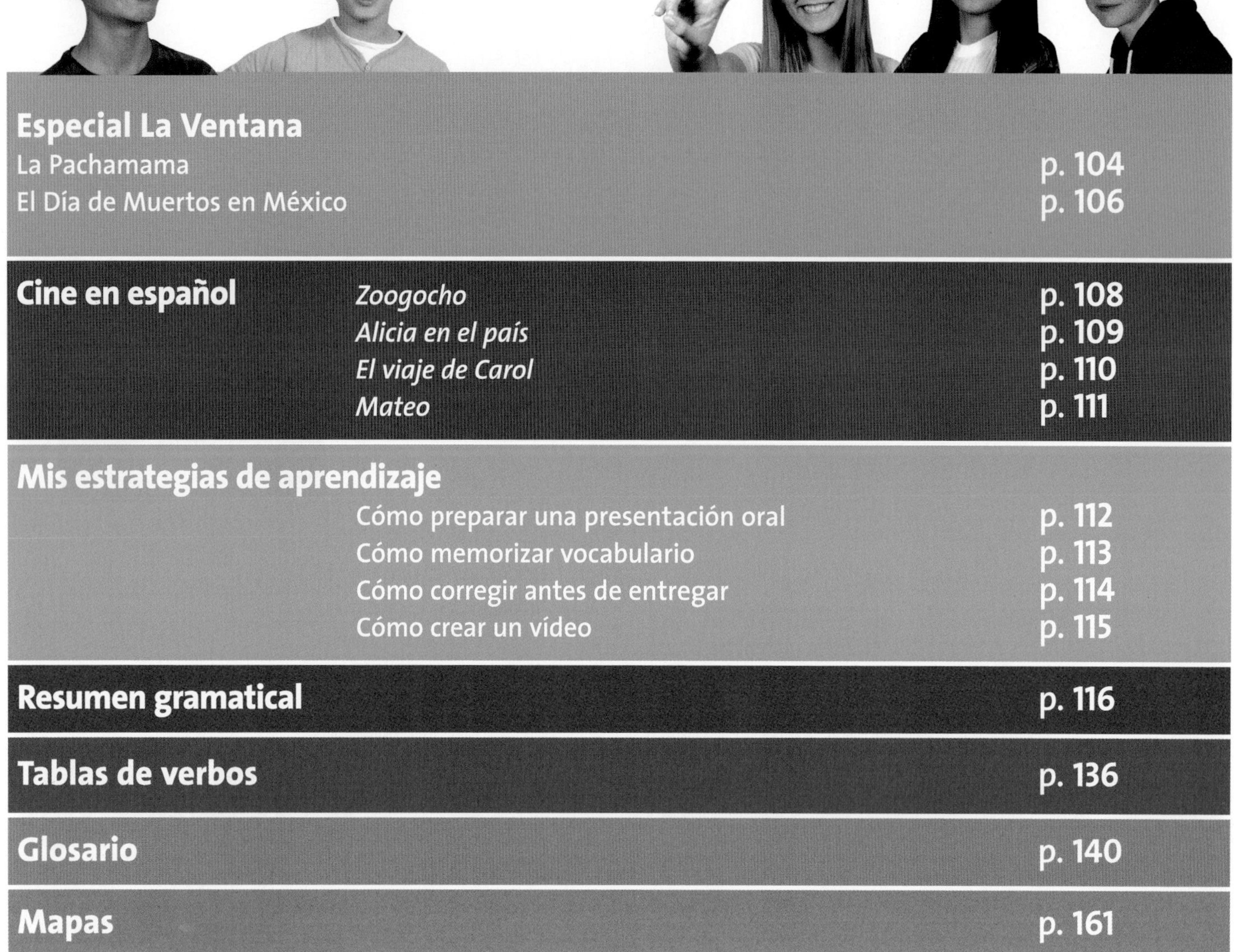

LOS REPORTEROS

LUCAS

Es colombiano, pero vive en Zaragoza. Es la primera vez que va a un instituto español. Tiene un blog.

DÁCIL

Es española. Vive en la isla de Tenerife (Canarias). Le gustan los deportes de aventura.

MARCO ANTONIO

Es chileno y vive en Valparaíso. Le gusta escuchar música, jugar al fútbol y jugar a videojuegos.

MARC

Es español y vive en Barcelona. Le gustan los deportes y la arquitectura. Conoce la vida de todos los famosos que admira.

GUADALUPE

Es mexicana. Vive en México D. F. Le gusta disfrazarse y hacer trabajos manuales.

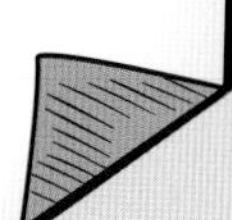

UNIDAD 1
Mi nueva vida

↑ Zaragoza, con el río Ebro y la basílica del Pilar

LECCIÓN 1

Hablo del... estado de ánimo y del carácter.

- **Ser / estar** + adjetivo
- El estado de ánimo y el carácter
- Los cuantificadores: **muy, bastante, un poco, nada**

Taller de lengua 1 Grabamos un vídeo para presentarnos y describir nuestra vuelta al cole.

LECCIÓN 2

Comparo... sistemas educativos.

- Los lugares de la escuela
- La comparación
- Los cuantificadores: **pocos/as, bastantes, muchos/as, demasiados/as**

Taller de lengua 2 Creo un folleto de un colegio imaginario.

LECCIÓN 3

Propongo... actividades y acepto o rechazo una invitación.

- Proponer y rechazar planes
- El futuro con **ir a** + infinitivo
- Los verbos **ir** y **venir**
- Los verbos **llevar** y **traer**

Taller de lengua 3 Representamos un diálogo en el que proponemos actividades de ocio.

LA VENTANA
PERIÓDICO DIGITAL

Hablamos de edificios históricos de Zaragoza y del pintor Goya.

Hablamos de una forma de resolver conflictos en escuelas e institutos.

En esta unidad nos habla Lucas desde Zaragoza (España).

Guadalupe
¡Hola! He invitado a mi amigo Lucas al grupo. Es colombiano y ahora vive en Zaragoza. 10:38

Lucas
¿Qué tal, chicos? 10:40

Dácil
Hola, yo soy Dácil. ¿Cómo estás, Lucas? 10:42

Lucas
Bien, pero tengo ganas de empezar el insti. Estoy un poco aburrido porque no conozco a nadie en Zaragoza. 😔 10:43

Guadalupe
Tranquilo, seguro que vas a hacer muchos amigos. ❤ 10:45

Lucas
¡Eso espero! 😁 10:46

¡EN MARCHA!

1 **Lee los mensajes de chat. Responde a estas preguntas.**

a. ¿Lucas quiere empezar el instituto? → Sí ☐ → No ☐

b. ¿Por qué? ....

....

2 **Escucha la entrevista a Lucas. Responde a estas preguntas.**

pista 1

a. ¿Qué frases se refieren a Zaragoza?

☐ Hay edificios históricos. ☐ Es una ciudad muy bonita.

☐ Se pueden hacer muchas actividades. ☐ Es un pueblo pequeño.

b. ¿De qué quiere hablar Lucas en su blog? ....

....

¿SABES QUE...?

El nombre de "Zaragoza" proviene de 'Caesaraugusta', nombrada así por el emperador romano César Augusto.

¡ESTOY MUY CONTENTO!

1 Lee el blog de Lucas.
¿Cuáles son sus defectos? ¿Y sus cualidades?

Cuad. p. 4

UN COLOMBIANO EN ESPAÑA

Me llamo Lucas y tengo 13 años. Soy colombiano, de Bogotá, pero este curso mi familia y yo vamos a vivir en Zaragoza (España). Yo soy medio colombiano y medio español porque mi padre es colombiano y mi madre es española.

Creo que soy bastante **simpático**, **sociable** y muy **optimista**, pero a veces soy un poco **impaciente** e **impulsivo**. Mañana empiezo el instituto. ¡Estos días estoy **contento**, pero un poco **nervioso**! **Contento**, porque tengo muchas ganas de conocer a mis compañeros, y **nervioso**, porque es la primera vez que voy a clase en España.

En este blog voy a contar mis experiencias en España. ¡Hasta pronto!

2 Clasifica los adjetivos marcados en negrita en el texto anterior. ¿Entiendes la diferencia?

- SER → *Soy simpático,* ....
- ESTAR → *Estoy* ....

MI GRAMÁTICA

CARÁCTER
ser simpático/a

ESTADO DE ÁNIMO
estar nervioso/a

→ Gramática, p. **22**
→ Cuaderno, p. **6**

3 Mira los dibujos. ¿Cuál es el estado de ánimo de los cinco personajes? Completa las frases.

a. El bebé está ....
b. La niña está ....
c. El alumno de ESO está ....
d. El alumno de Bachillerato está ....
e. La madre está ....

MIS PALABRAS

supercontento/a 😄
contento/a 😃
triste 😔
enfadado/a 😡
deprimido/a 😩
nervioso/a 😖
asustado/a 😱
cansado/a 😓

tener [ie] ganas de comer / correr...

→ Palabras, p. **26**
→ Cuaderno, p. **5, 6**

RECUERDA

empezar: empiezo, empiezas...

MIS NUEVOS AMIGOS

1 Lee **el texto. ¿Cómo está Santiago? ¿Y Lucía?** Explica **por qué.**

Cuad. p. 4

Santiago está... porque...

El profesor informa al resto de la clase de que la niña nueva se llama Lucía y acaba de trasladarse a la ciudad con su mamá. Sin saber por qué, Santiago cree haber visto a un ángel. Ella se dirige decidida hacia el asiento que queda a su lado.

—Hola, me llamo Lucía —se presenta con voz cantarina.

—Lo sé... quiero decir... yo soy Santiago —contesta torpemente, mientras juguetea nervioso con el microscopio.

—Hola, Santiago. Soy nueva aquí... la verdad es que estoy un poquito nerviosa —añade con una risita.

Santiago se tranquiliza lo suficiente como para levantar la mirada y dedicar una tímida sonrisa a su nueva compañera.

José Antonio Jiménez-Barbero, *El niño que no quiso llorar* (2016)

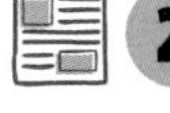

2 ¿Y TÚ? ¿Cómo estás en las siguientes situaciones?

Cuad. p. 45

a. La persona que te gusta se sienta a tu lado.
- → Estoy muy nervioso/a. ☐
- → Estoy bastante nervioso/a. ☐
- → Estoy un poco nervioso/a. ☐
- → No estoy nada nervioso/a. ☐

b. Sacas un 10 en Español.
- → Estoy muy contento/a. ☐
- → Estoy bastante contento/a. ☐
- → No estoy nada contento/a. ☐

c. Tu mejor amigo/a no te habla.
- → Estoy muy triste. ☐
- → Estoy bastante triste. ☐
- → Estoy un poco triste. ☐
- → No estoy nada triste. ☐

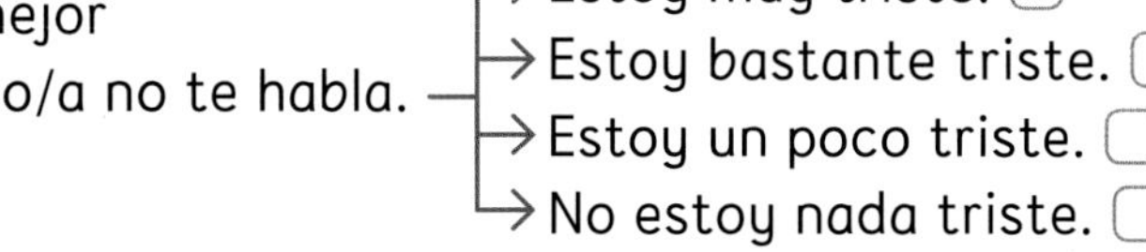

MI GRAMÁTICA

LOS CUANTIFICADORES

- +++ **muy** nervioso/a
- ++ **bastante** nervioso/a
- + **un poco** nervioso/a
- − **nada** nervioso/a

→ Gramática, p. 23
→ Cuaderno, p. 7

3 Escribe **en tu cuaderno tu presentación para un blog siguiendo el modelo de Lucas (página 16).**

EL JUEGO DE LOS ESTADOS DE ÁNIMO. Un/a compañero/a sale a la pizarra y representa con mímica un estado de ánimo. Los demás tienen que adivinarlo.

¡Estás bastante contento!

Taller de lengua 1
LA VUELTA A CLASE → p. 31

MI NUEVO "INSTI"

pista 2 Cuad. p. 8

1 **Escucha a Lucas y a Diana. ¿Qué sorprende a Lucas de su nuevo instituto?**

pista 2

2 **Vuelve a escuchar el diálogo. Completa el plano del IES Élaios con los nombres que faltan.**

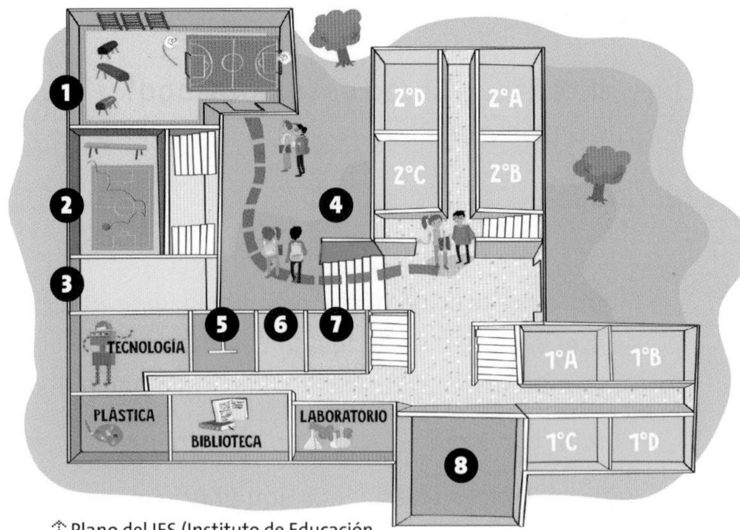

↑ Plano del IES (Instituto de Educación Secundaria) Élaios, de Zaragoza (2016)

1 ______
2 ______
3 ______
4 ______
5 ______
6 ______
7 ______
8 ______

3 **En parejas, comparad el instituto de Lucas con vuestro centro.**

Cuad. p. 8

a. El IES Élaios tiene un aula de Música.
b. El IES Élaios tiene dos gimnasios.
c. Algunos días, los alumnos del IES Élaios comen a las 15 h.
d. En el IES Élaios hay una directora.

a. *Nuestro centro no. Nosotros hacemos Música en la misma aula que las otras asignaturas.*

4 **Estas afirmaciones se refieren a los institutos en España. ¿Qué te sorprende más? ¿Cómo es en tu país?**

a. Los alumnos tutean a los profesores.
b. El recreo principal dura 30 minutos.
c. En Semana Santa hay diez días de vacaciones.
d. En verano hay casi tres meses de vacaciones.
e. La nota máxima de un examen es 10.
f. La Educación Secundaria Obligatoria va de los 12 a los 16 años aproximadamente.

RECUERDA

a la izquierda / derecha (de)
al final (de)
al lado (de)

MIS PALABRAS

el comedor
el aula
los lavabos
el patio
el gimnasio
el pasillo
la secretaría
el despacho del / de la director/a

→ Palabras, p. 26
→ Cuaderno, p. 10

MI GRAMÁTICA

LA COMPARACIÓN

es diferente ≠ es igual
tenemos **el mismo** horario / **la misma** aula

→ Gramática, p. 24
→ Cuaderno, p. 11

COMPARTIMOS EL MUNDO

Un 8,5 % de los alumnos de institutos de secundaria españoles es extranjero. Ese porcentaje es más alto en Madrid, Valencia, Barcelona o Baleares.

¿DEMASIADOS DEBERES?

1 Lee **esta noticia del periódico.**
Responde **a las preguntas.**

Cuad. p. 9

a. ¿Quién es Diego?

b. ¿Por qué está estresado?

c. ¿Qué piensa su madre?

Todos los días, al terminar su jornada, Diego se lleva a casa entre dos horas y media y tres horas de trabajo extra. Apenas tiene tiempo libre y tiene estrés. Diego no es un ejecutivo incapaz de desconectar. Es un niño de 10 años que cursa 5.º de Primaria e intenta hacer todos los deberes que le mandan sus profesoras. Muchos días, cuando termina, solo le da tiempo a cenar, ducharse e irse a la cama.

Su madre, después de hablar con el director y no conseguir ninguna solución, inició una petición de firmas en change.org "por la racionalización de los deberes en el sistema educativo español".

↑ Cecilia Jan, "Deberes, ¿rutina necesaria o condena?", *El País* (2015)

2 **¿Y VOSOTROS?** Calculad **las horas por semana que dedicáis a hacer deberes. ¿Tenéis demasiados deberes?**

Yo creo que tenemos bastantes deberes, pero…

3 **Con un/a compañero/a,** mira **el gráfico. ¿Qué os sorprende? ¿Pensáis lo mismo que antes?**

Cuad. p. 9

↑ Datos de la OCDE, *El País* (2015)

4 Escribe **frases sobre cuatro países del gráfico.**

Demasiados deberes	Muchos deberes	Bastantes deberes	Pocos deberes

En Finlandia, los niños tienen pocos deberes.

....

....

....

MI GRAMÁTICA

LOS CUANTIFICADORES

+++ **demasiados** deberes

++ **muchos** deberes

+ **bastantes** deberes

− **pocos** deberes

→ Gramática, p. 23
→ Cuaderno, p. 7, 11

RECUERDA

LA COMPARACIÓN

Tenemos **más/menos** deberes **que…**

Trabajamos **más/menos que…**

Taller de lengua 2

NUESTRO INSTITUTO IMAGINARIO → p. 31

¿QUEDAMOS EL DOMINGO?

1 **Observa este mapa de Zaragoza. ¿En qué calles o plazas se pueden hacer estas actividades?**

- **a** ver músicos callejeros
- **b** ir a un mercado (de comida)
- **c** ir a una tienda de antigüedades
- **d** visitar talleres de pintura
- **e** ir a un mercadillo de segunda mano
- **f** ir en bicicleta
- **g** comer perritos calientes
- **h** visitar un monumento
- **i** comprar ropa

Zaragenda, agenda cultural de Zaragoza, www.zaragozaturismo.es (2016)

Se pueden ver músicos callejeros en la plaza San Agustín.
Se puede ir en bicicleta...

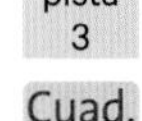

pista 3

Cuad. p. 12

2 **Escucha la conversación entre Lucas y Pablo. Responde a estas preguntas.**

a. ¿Qué actividades le recomienda Pablo a Lucas?

....

b. ¿Qué le propone Lucas a Pablo? ....

c. ¿Pablo acepta la propuesta? ¿Qué deciden hacer al final?

....

3 **¿Para qué sirven las expresiones destacadas del diálogo entre Lucas y Pablo? Clasifícalas en tu cuaderno.**

a. ¿Te apetece venir conmigo?

b. Lo siento, no puedo. Es que voy a comer a casa de mis abuelos. Pero ¿por qué no quedamos el domingo?

c. ¡Vale, genial!

proponer planes	**aceptar planes**
rechazar planes	**excusarse**

MIS PALABRAS

¿Te gustaría ir / ver...?

¿Te apetece ir / ver...?

¿Por qué no vamos / vemos...?

Lo siento, no puedo. Es que...

De acuerdo.

Perfecto.

quedar (con alguien / en algún lugar)

conmigo, contigo, con él / ella

→ Palabras, p. 27
→ Cuaderno, p. 12, 13

ESTE FINDE VOY A...

pista 4

1 Escucha a cuatro chicos que cuentan lo que van a hacer el próximo fin de semana. Escribe qué actividades va a hacer cada uno/a.

1. Tariq va a... *ir a un parque de atracciones.*
2. Rocío va a... ....
3. Julia va a... ....
4. Pablo va a... ....

quedar con amigos/as

ir a un parque de atracciones

ir de excursión

ir a dormir a casa de un/a amigo/a

ir de compras

ir a la bolera

EL JUEGO DE ADIVINAR ACTIVIDADES. Piensa en una actividad de ocio y dibújala en la pizarra. Tus compañeros tienen que adivinarla.

2 ¿Y TÚ? Cuéntale a un/a compañero/a tres cosas que vas a hacer el próximo fin de semana.

3 Lee el diálogo y completa las reglas con el infinitivo de los verbos marcados: ir, venir, llevar y traer.

- Indica un movimiento hacia la persona que habla. → ...., ...
- Indica un movimiento hacia otro lugar. → ...., ...

MI GRAMÁTICA

IR A + INFINITIVO

(yo)	**voy a**	ir
(tú)	**vas a**	comer
(él/ella)	**va a**	dormir

→ Gramática, p. 24
→ Cuaderno, p. 15

RECUERDA

el sábado

el domingo por la tarde

VENIR se conjuga como **TENER**: ten**g**o, t**ie**nes, t**ie**ne...

MI GRAMÁTICA

IR / VENIR

¿**Voy** a tu casa o **vienes** tú a mi casa?

→ Gramática, p. 25
→ Cuaderno, p. 15

Taller de lengua 3
NOS PROPONEMOS PLANES → p. 31

LOS VERBOS **SER** Y **ESTAR**

Para hablar de una cualidad esencial de algo o alguien (como la nacionalidad o el carácter), usamos **ser**.

ser + adjetivo → *Juan es cubano.* → *Soy muy tímida.*

Ser también se utiliza para las características.
Zaragoza es muy bonita.

Para hablar del estado de algo o alguien (como el estado de ánimo), usamos **estar**.

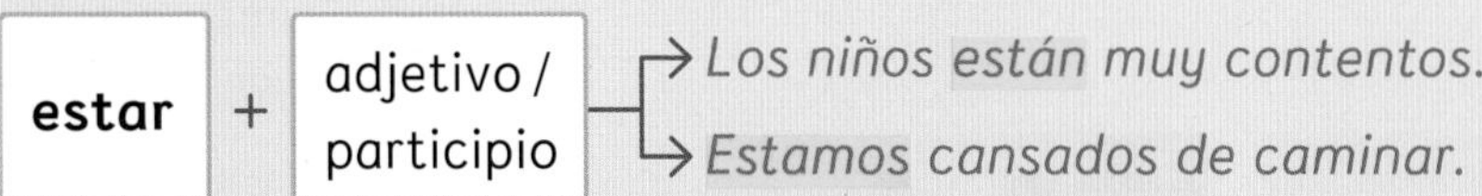

Estar también se utiliza para situar en el espacio.
Mi habitación está al lado de la cocina.

1 Subraya **la opción correcta en cada caso.**

a. Mi perro es / **está** pequeño y tiene el pelo blanco. **Es / Está** simpático y también muy listo. Le gusta mucho jugar, pero cuando **es / está** cansado, solo quiere dormir.

b. Ana **es / está** mi hermana pequeña y **es / está** española, como yo. Tiene muchos amigos porque siempre **es / está** de buen humor.

2 Completa **con** ser **o** estar.

a. Andrés ......*es*...... muy sociable, pero ......*es*...... demasiado impulsivo.
b. Elena hoy .... nerviosa porque va al médico.
c. Ana y José .... supercontentos en su nuevo instituto.
d. Marta, ¿te pasa algo? ¿Por qué .... triste?
e. Sandra .... una persona muy optimista.
f. Es muy tarde y todos nosotros .... bastante cansados.
g. Zaragoza .... una ciudad que .... en el norte de España.
h. ¿De dónde .... vosotros? Nosotros .... brasileños.
i. ● ¿Dónde .... mi libro de Español?
○ Creo que .... en tu habitación.

3 Imagina **un día perfecto con la persona perfecta.**
Describe **dónde estáis, cómo es la persona y cómo te sientes.**

....

....

LOS CUANTIFICADORES: **UN POCO, MUCHO, DEMASIADO...**

demasiado **muy** **bastante** **un poco** **no ... nada**	+	adjetivo / adverbio	*Es demasiado impaciente.* *Es muy impaciente.* *Es bastante impaciente.* *Es un poco* impaciente.* *No es nada impaciente.*
demasiado/a/os/as **mucho/a/os/as** **bastante/s** **poco/a/os/as**	+	nombre	*Hay demasiadas tiendas.* *Hay muchas tiendas.* *Hay bastantes tiendas.* *Hay pocas tiendas.*
verbo	+	**demasiado** **mucho** **bastante** **poco** **no ... nada**	*Sara lee demasiado.* *Sara lee mucho.* *Sara lee bastante.* *Sara lee poco.* *Sara no lee nada.*

* Solo con adjetivos considerados negativos.

4 **Subraya la opción correcta en cada caso.**

a. Lucas tiene **muy** / **muchas** ganas de ir a su nuevo instituto.

b. En mi ciudad hay **poco** / **pocas** piscinas.

c. Conozco a **bastante** / **bastantes** alumnos.

d. Hablo **poco** / **nada** español.

e. Mateo y Elena son **un poco** / **pocos** antipáticos, ¿no?

f. Mis hermanos son **bastante** / **bastantes** simpáticos.

g. Paula es **demasiado** / **demasiada** buena.

h. Luis pasea **muy** / **mucho** por la playa.

i. Mar vive en otro barrio y la veo **poco** / **nada**.

5 **Escribe dos aspectos positivos y dos aspectos negativos de tu instituto. Usa los siguientes cuantificadores.**

demasiado | mucho | muy | bastante | un poco | no ... nada

- ASPECTOS POSITIVOS

....

....

- ASPECTOS NEGATIVOS

....

....

LA COMPARACIÓN (IGUALDAD)

Para hablar de la igualdad

el / la / los / las | **mismo/a/os/as** + sustantivo + (**que**)

Duermo tantas horas como tú. → = *Duermo las mismas horas que tú.*
→ = *Dormimos las mismas horas.*

Tengo el mismo libro que tú.
Todas las clases son en la misma aula, excepto la de Educación Física.
¿Vamos a usar los mismos libros que el año pasado?
Luis y yo sacamos casi siempre las mismas notas.

6 Marta y Ana son muy parecidas.
Compara las cosas que hacen igual.

a. A Marta le gusta Matemáticas y también Física y Química. A Ana también.
→ A Marta y a Ana les gustan ....

b. Marta tiene clase los lunes y los jueves de 8 h a 15 h y los demás días de la semana de 9 h a 17 h. Ana también. → Marta y Ana tienen ....

c. Ana tiene clase en el aula 3. Marta también.
→ Ana y Marta tienen clase en ....

d. Ana tiene tres mejores amigas: Lucía, Belén y Marta. Las mejores amigas de Marta son Lucía, Belén y Ana. → Ana y Marta tienen ....

IR A + INFINITIVO

Para indicar lo que pensamos hacer en el futuro, usamos **ir a** + infinitivo.

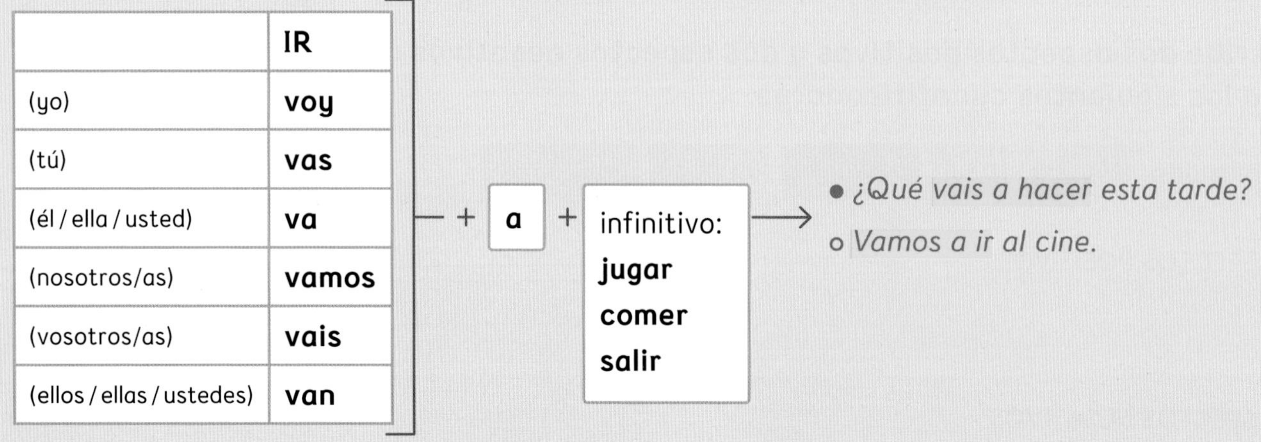

	IR
(yo)	**voy**
(tú)	**vas**
(él / ella / usted)	**va**
(nosotros/as)	**vamos**
(vosotros/as)	**vais**
(ellos / ellas / ustedes)	**van**

+ **a** + infinitivo: **jugar**, **comer**, **salir** →

- *¿Qué vais a hacer esta tarde?*
- *Vamos a ir al cine.*

7 Escribe **qué van a hacer estas personas este fin de semana.**

a. Lucas *va a ir a un museo.*
b. Marta y su madre ....
c. Ernesto ....
d. Mario y Gisela ....
e. Leticia ....
f. Manu y Naiara ....

CONTRASTE ENTRE IR / VENIR Y TRAER / LLEVAR

Contraste entre ir y venir

ir	→	Moverse hacia cualquier lugar.
venir	→	Moverse hacia el lugar donde está el hablante.

Contraste entre traer y llevar

llevar	→	Transportar algo hacia cualquier lugar.
traer	→	Transportar algo hacia el lugar donde está el hablante.

Hoy **vienen** los abuelos.
¡Qué guay! ¿Nos van a **traer** regalos?
VENIR TRAER
hablantes

Hoy **vamos** a casa de los abuelos.
¡Qué guay! ¡Les podemos **llevar** regalos!
IR LLEVAR
hablantes

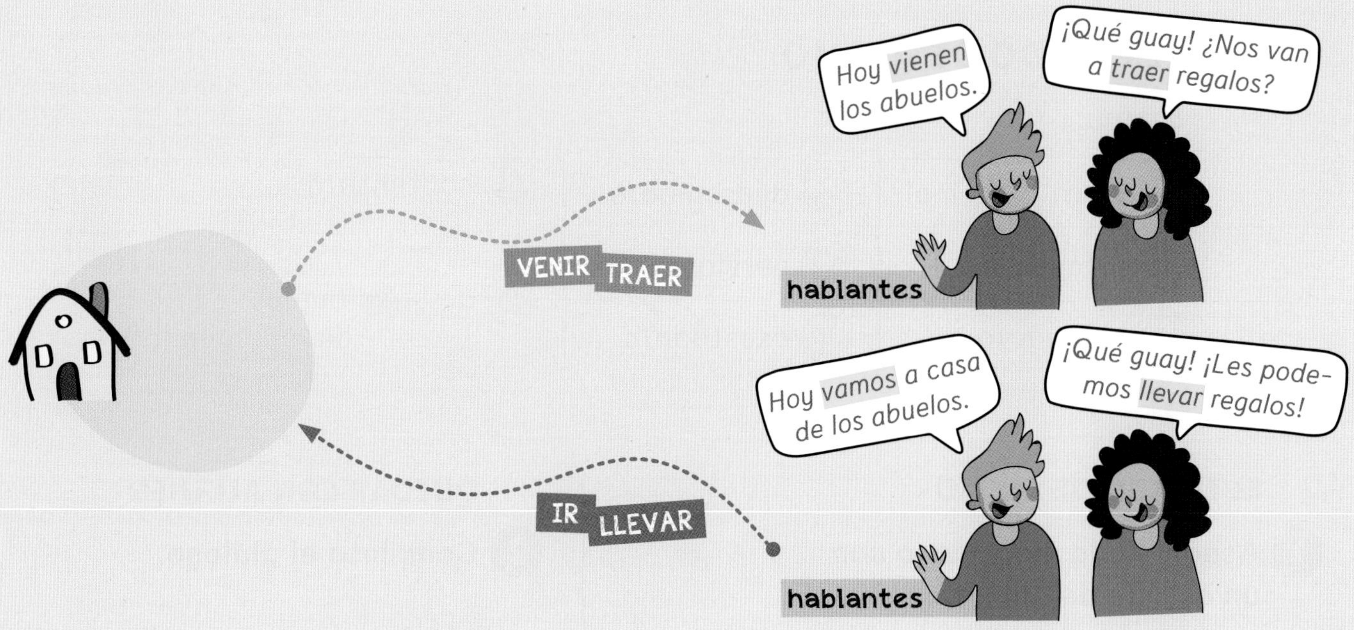

8 Rodea **la opción correcta en cada caso.**

a. Puedes ir / (venir) a verme cuando quieras. Ya estoy en casa.
b. Marta, ¿vas a casa de Sofía? ¿Le puedes llevar / traer estos libros?
c. Cuando mi abuela va / viene a verme, siempre me lleva / trae un regalo.
d. • Sofía, estoy en la cocina. ¿Puedes ir / venir un momento?
  ○ Sí, ahora voy / vengo.

EL CARÁCTER

Soy...

impaciente

impulsivo/a

 trabajador/a ≠ vago/a 

optimista ≠ pesimista

 tranquilo/a ≠ nervioso/a 

simpático/a ≠ antipático/a

sociable ≠ tímido/a 

LOS ESPACIOS

el comedor

el despacho

el patio

el pasillo

la secretaría

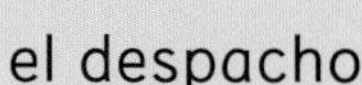
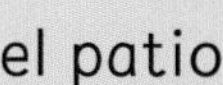
 los lavabos

 el gimnasio

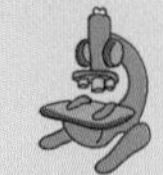 el laboratorio

 la biblioteca

 el aula de Música...

MI NUEVA

LAS PERSONAS

EL ESTADO DE ÁNIMO

Estoy...

 bien ≠  mal

 enfadado/a

 cansado/a

 deprimido/a

nervioso/a

asustado/a

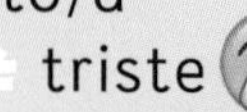 contento/a ≠ triste

 de buen humor ≠ de mal humor 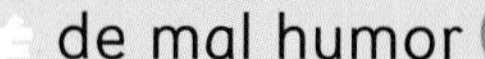

EL ESTADO DE ÁNIMO

1 Asocia **cada emoticono con un estado de ánimo.**

a. Estoy triste. [2]
b. Estoy enfadado/a. [ ]
c. Estoy deprimido/a. [ ]
d. Estoy asustado/a. [ ]

QUEDAR CON ALGUIEN

2 Completa **el diálogo.**

● Lola, ¿.................. ver el partido de fútbol en mi casa esta tarde?

○ ...., ¿a qué hora?

● ¿Quedamos a las 18 h? ¿A ti te va bien, Pili?

■ Yo ...., ... tengo que ir al médico. Pero, oye, ¿.................. jugamos un partido este sábado por la mañana?

● ....

VIDA

EL INSTITUTO

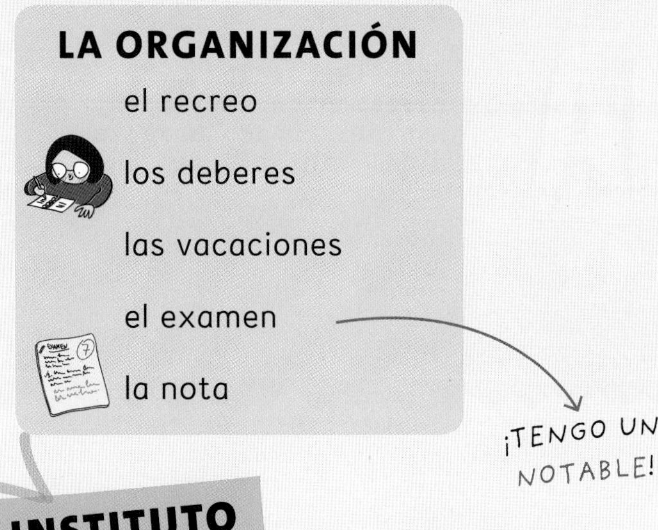

LA ORGANIZACIÓN

el recreo

los deberes

las vacaciones

el examen

la nota

¡TENGO UN NOTABLE!

LA VIDA SOCIAL

QUEDAR CON ALGUIEN

¿Te gustaría...?

¿Te apetece...?

¿Por qué no...?

¡De acuerdo!	Lo siento...
¡Perfecto!	No puedo...
¡Vale, genial!	Es que...

LAS ACTIVIDADES

ir
- **a** una tienda de
  - ropa
  - deporte
- **a** una fiesta
- **a** un mercado
- **a** un concierto
- **a** comer perritos calientes

¡DEL INGLÉS HOT DOG!

ir
- **al** cine
- **al** parque
- **a la** bolera

ir
- **de** compras
- **de** excursión

visitar
- una ciudad
- un monumento

quedar **con** amigos

LAS ACTIVIDADES

3 **¿Qué actividades te apetece hacer durante las próximas dos semanas? Escribe con quién quieres hacerlas.**

Tengo ganas de ir de compras con mi madre...

....

....

....

....

4 **¡Cread vuestro propio mapa mental! En grupos, personalizad este mapa: presentad vuestro centro y las actividades que se pueden hacer en vuestra ciudad o pueblo.**

https://www.laventana.rep

LA VENTANA

~ PERIÓDICO DIGITAL ~

En esta edición hablamos de edificios históricos de Zaragoza y del pintor Goya.

GOYA: UN PINTOR DE ZARAGOZA

Francisco de Goya (1746-1828) es uno de los pintores españoles más importantes de la historia.

Nace en Zaragoza en 1746 y en 1775 va a vivir a Madrid. Poco después, empieza a pintar retratos de la aristocracia española. Gracias a su éxito, lo nombran pintor real en la corte de Carlos IV. En esa época pinta escenas de la vida cotidiana madrileña, sobre todo de ocio y juegos.

Goya es también un gran grabador. *Los caprichos* son una serie de grabados en los que el pintor (que cree en las ideas de la Ilustración) critica la ignorancia del pueblo. En esos grabados muestra una sociedad llena de supersticiones y dominada por la Iglesia católica.

Tras la invasión de España por las tropas de Napoleón, Goya pinta una serie de obras conocidas como *Los desastres de la guerra*, que muestran momentos de la guerra de la Independencia.

2

↑ *El sueño de la razón produce monstruos,* Francisco de Goya (1799)

1

↑ *El 3 de mayo en Madrid,* Francisco de Goya (1814)

↑ *La gallina ciega*, Francisco de Goya (1788)

EL CASCO ANTIGUO DE ZARAGOZA

VÍDEO

DVD 1

↑ *Un día en mi barrio: el casco antiguo de Zaragoza* (2013)

1 Relaciona las obras de Goya de esta página con estas explicaciones.

- Critica la falta de progreso en España. 2
- Denuncia la crueldad de la guerra.
- Muestra escenas de costumbres madrileñas.

2 ¿Qué obra te gusta más? ¿Por qué?

3 Mira el vídeo y responde.

a. ¿Qué le gusta a la chica de su barrio?

b. ¿Qué interés tiene la basílica del Pilar?

c. ¿Cómo era la ciudad en la época romana: más grande o más pequeña?

¡Eres periodista!

Vas a describir algunas obras de Francisco de Goya.

1. Busca estos cuadros famosos de Goya:

El quitasol

Perro semihundido

El dos de mayo de 1808. La carga de los mamelucos

La maja vestida

2. Anota de qué año son y describe qué ves en ellos y cuál crees que es el estado de ánimo de los principales personajes que aparecen.

Educación emocional

LA MEDIACIÓN ESCOLAR

Algunas escuelas de España y de América Latina tienen alumnos y alumnas mediadores. Su función es hablar con los compañeros e intentar resolver los problemas cuando hay un conflicto entre alumnos.

↑ Colegio Cooperativa Alcázar

1 Reflexiona.

a. ¿Qué haces cuando tienes un conflicto con alguien?

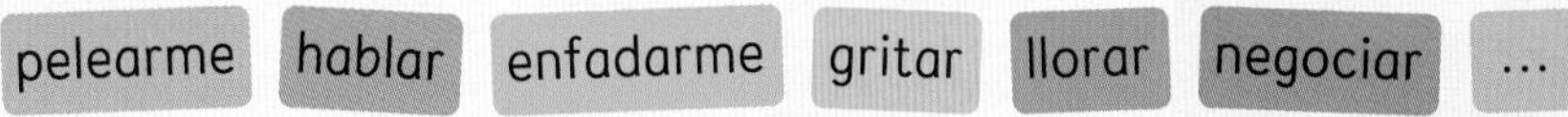

b. ¿Quién puede intervenir cuando hay un conflicto en tu centro?

2 Oberva **el cartel. ¿Qué hacen los alumnos mediadores para resolver conflictos?** Añade **otras acciones que, en tu opinión, pueden hacer.**

3 Lee **cómo funciona la mediación escolar y** opina. **¿Te gustaría tener a un/a compañero/a mediador/a para resolver los conflictos en tu centro? ¿Por qué?**

- La mediación debe ser voluntaria y los alumnos pueden elegir a su mediador/a.
- Los dos alumnos exponen su problema al mediador / a la mediadora. No pueden hablar entre ellos.
- El mediador / La mediadora entiende y reformula lo que le cuentan. Así, los alumnos escuchan su versión "desde fuera" y pueden ponerse en el lugar del otro.
- El mediador / La mediadora resume el conflicto: elimina todo lo que es secundario y dice solo lo esencial.

↑ Adaptado de *Gobierno de Canarias*

4 Actúa. **En grupos, pensad en tres conflictos que podría resolver un/a mediador/a en vuestro centro.**

Taller 1 • LECCIÓN 1

LA VUELTA A CLASE

Alternativa no digital
Escribid el guion y haced la presentación en clase.

Nos preparamos

1 En grupos de tres, **vais a grabar un vídeo para presentaros** después de las vacaciones. Elegid un lugar para grabarlo.

Lo creamos

2 **Escribid el guion.**
Cada uno/a debe:
- **saludar y presentarse brevemente**.
- **decir cómo se siente** después de las vacaciones.

Lo presentamos

3 **Grabad y editad** el vídeo.

4 **Presentad** el vídeo a la clase.

Taller 2 • LECCIÓN 2

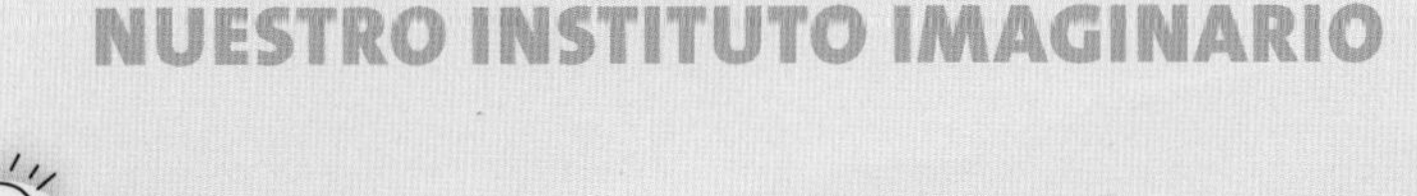

NUESTRO INSTITUTO IMAGINARIO

Alternativa digital
Haz un folleto con un programa de diseño.

Nos preparamos

1 Vas a **crear un folleto** para presentar un instituto imaginario. **Imagina cómo sería un instituto** con las cosas que te gustan del sistema escolar español y las que te gustan del sistema escolar de tu país.

Lo creamos

2 **Crea el folleto** para presentar el instituto con la siguiente información:
NOMBRE • LUGAR • ESPACIOS • HORARIOS • RECREOS • VACACIONES • NOTAS.
Puedes poner fotos o dibujos.

Lo presentamos

3 **Expón** tu folleto en la clase o en la biblioteca.

Taller 3 • LECCIÓN 3

NOS PROPONEMOS PLANES

Alternativa digital
Grabad las representaciones y subidlas a la web del centro.

Nos preparamos

1 En parejas, vais a representar y escribir un diálogo. **Buscad información** sobre **actividades** turísticas y de ocio en el pueblo o ciudad **donde vivís**.

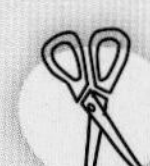

Lo creamos

2 **Escribid un diálogo** en el que:
- Un personaje **hace una propuesta** y da información sobre la actividad.
- El otro **la rechaza y propone** una alternativa.

Lo presentamos

3 **Representad vuestro diálogo** en la clase. ¿Qué representación os gusta más?

UNIDAD 2
Viajes y aventuras

↑ Playa Jardín en Puerto de la Cruz (isla de Tenerife)

LECCIÓN 1

Hablo de... actividades y de viajes pasados.

- El pretérito perfecto
- El participio
- Los medios de transporte
- Las preposiciones de lugar y movimiento

Taller de lengua 1 Creo un cuaderno de viajes con las actividades que he hecho en un fin de semana.

LECCIÓN 2

Hablo de... actividades turísticas y del tiempo atmosférico.

- Los pronombres de CD
- Las actividades turísticas
- Los accidentes geográficos
- El tiempo atmosférico

Taller de lengua 2 Preparamos un fin de semana en nuestra ciudad o región.

LECCIÓN 3

Hablo de... experiencias y de aventuras.

- Las actividades deportivas
- El superlativo
- Los números a partir de 100
- Valorar actividades: **dar miedo**, **dar pereza**...

Taller de lengua 3 Presento las actividades más aventureras que he hecho.

LA VENTANA
PERIÓDICO DIGITAL

Hablamos de los antiguos habitantes de Tenerife, del lenguaje de los silbidos y de un parque natural.

Hablamos de un taller de artesanía mexicano que utiliza telas y motivos indígenas.

En esta unidad nos habla Dácil desde Puerto de la Cruz, Tenerife (España).

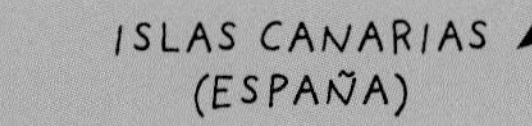

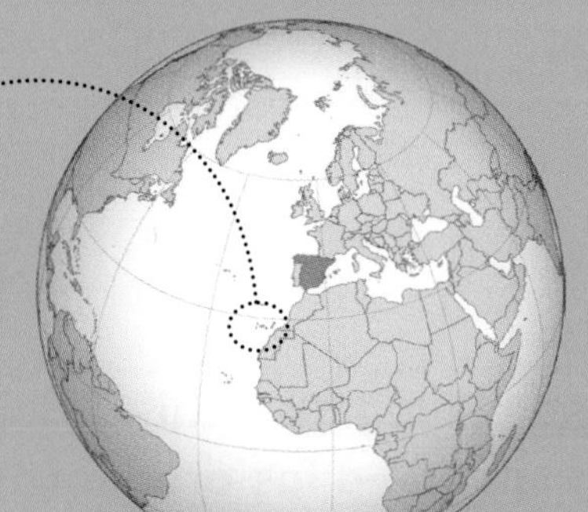

Dácil ¿Qué tal tus vacaciones? 10:28

Marc ¡Muy bien, he estado en Fuerteventura! 10:30

Dácil ¡Qué bien! 10:33

Marc Sí, me ha gustado mucho, ¡¡y he hecho mucho windsurf!! 10:34

Dácil ¿Tu hermano también? 10:35

Marc ¡Uy, no! No le gusta nada el agua. 10:37

Dácil ¡Pobre! Seguro que se ha aburrido. 10:38

Marc No, ha leído mucho, lo ha pasado muy bien. 10:39

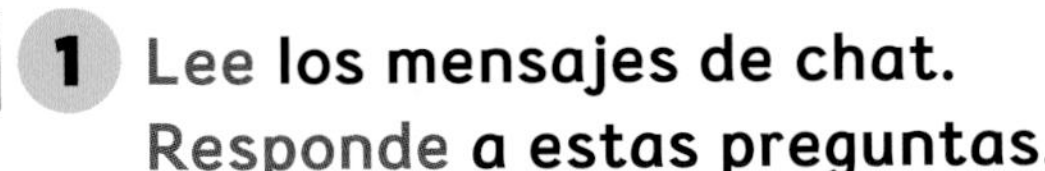

1 **Lee los mensajes de chat. Responde a estas preguntas.**

a. ¿A dónde ha ido en vacaciones Marc? ....
Búscalo en el mapa.

b. ¿Quién no ha hecho windsurf? ....
¿Por qué? ....

c. ¿Qué ha hecho el hermano de Marc? ....
¿Lo ha pasado bien? ....

¿SABES QUE...?
Las islas Canarias son un destino turístico muy popular en Europa. Cada año reciben más de nueve millones de visitantes.

2 **Escucha la entrevista que le hace Marc a Dácil. Marca qué ha hecho Marc en Fuerteventura.**

pista 5

a. Ha hecho windsurf. ☒

b. Ha hecho paracaidismo. ☐

c. Ha hecho senderismo. ☐

d. Ha ido en kayak. ☐

e. Ha hecho submarinismo. ☐

UNA EXCURSIÓN AL TEIDE

1 Lee **el blog de Nani.**
Responde **a las preguntas.**

ASCENSO AL TEIDE

He tocado el cielo. **He tenido** la suerte de conquistar la cima más alta de España. Y la más elevada del Atlántico. Sí. **He pisado** el cráter del Teide, situado a 3718 metros de altitud. Esta foto es la prueba.

Estoy orgullosa de mí, no solo porque alcanzar esa cima me **ha permitido** disfrutar de unas vistas maravillosas de los alrededores de este mítico volcán, sino porque **he realizado** la subida sin problemas.

↑ Nani Arenas, laviajeraempedernida.com (2016)

a. ¿Qué ha hecho Nani? ....

b. ¿Por qué dice que ha tocado el cielo? ....

....

c. ¿Crees que la actividad ha sido fácil o difícil para ella? ....

....

2 Observa **los verbos marcados en el texto.**
Completa **el esquema.**

VERBO DEL TEXTO →	INFINITIVO →	¿QUIÉN?
he tocado	tocar	yo

3 **¿Y TÚ? ¿Qué has hecho últimamente?**
Completa **las frases.**

a. Este fin de semana... *he ido al cine.*

b. Esta mañana... ....

c. Estos días... ....

d. En mis últimas vacaciones... ....

EL TEIDE

¿SABES QUE...?

Las islas Canarias son de origen volcánico y en todas ellas hay volcanes (algunos, activos). El Teide, un volcán que está en la isla de Tenerife, es, además, la montaña más alta de España.

MI GRAMÁTICA

EL PRETÉRITO PERFECTO

HABER + PARTICIPIO
(yo) **he llegado**
(tú) **has llegado**
(él / ella) **ha llegado**

EL PARTICIPIO

PISAR → pisado
COMER → comido
SALIR → salido

PARTICIPIOS IRREGULARES

VER → **visto**
HACER → **hecho**

→ Gramática, p. 40
→ Cuaderno, p. 20, 21

HOY HE IDO A LA GOMERA

1 Mira **el cuaderno de viajes de Antonio.**
Responde **a las preguntas.**

Cuad. p. 18

a. ¿A dónde ha ido durante sus vacaciones?

b. ¿Cómo (en qué transporte) ha ido a esos lugares?

c. ¿Qué ha visitado allí?

MIS PALABRAS

ir en → barco / coche / avión / tren / teleférico

→ Palabras, p. 44
→ Cuaderno, p. 19

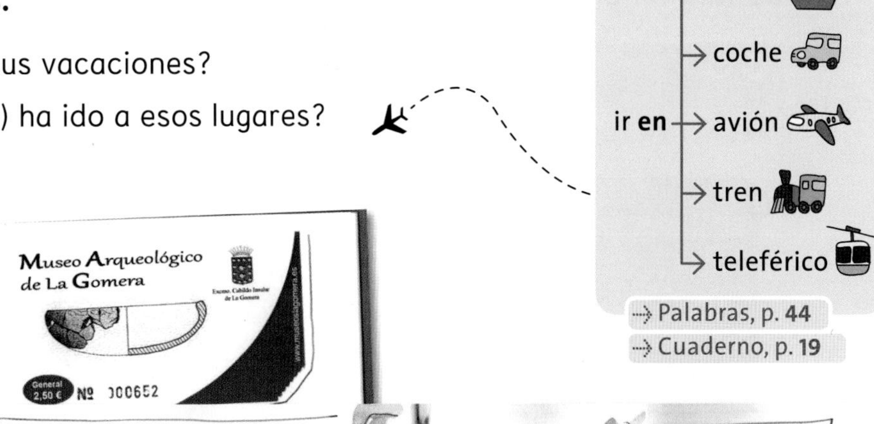

Antonio Maestro, devueltaconelcuaderno.blogspot.com (2015) →

2 Escucha **la conversación.**
Completa **la postal de Antonio.**

pista 6

Querida abuela:

Hoy, hemos ido en ferry a La Gomera y hemos visitado *el Parque Nacional de Garajonay*. ¡Lo hemos pasado genial! Hemos subido a .... que está en .... Por la tarde, hemos ido en .... a .... y hemos paseado por .... También hemos visitado .... de la isla.

Un abrazo, Antonio

MI GRAMÁTICA

LAS PREPOSICIONES

He ido **a** La Gomera.

He estado **en** La Gomera.

He paseado **por** el pueblo.

→ Gramática, p. 41
→ Cuaderno, p. 21

Taller de lengua 1
¡MI VIDA ES UN VIAJE! → p. 49

¡VISITAMOS LAS CANARIAS!

1 **Lee la información turística de esta página web.**
Señala en el mapa de *La ventana* (pp. 46 y 47) las islas que se citan.

KAYAK EN LOS ACANTILADOS DE LOS GIGANTES

a) Navegar en kayak al lado de los impresionantes acantilados de Tenerife es una de las experiencias más emocionantes de la isla.

AVISTAMIENTO DE CETÁCEOS EN LA GOMERA

c) ¿Te gustaría ver las ballenas más cerca que nunca y en su propio hábitat? ¡El océano Atlántico está lleno de maravillas!

SENDERISMO TEMÁTICO EN EL HIERRO

b) Diferentes rutas temáticas te esperan para explorar El Hierro de distintas maneras: árboles centenarios, volcanes, piscinas naturales…

VISITA A LAS PALMAS CON RUTA DE COMPRAS

d) La capital de Gran Canaria tiene, según algunos estudios, el clima más agradable del mundo. Es el lugar ideal para pasear sin prisa.

↑ canariasworld.com (2016)

2 **¿Y A TI? ¿Cuáles de las actividades propuestas te parecen divertidas? ¿Y aburridas?**

Para mí, pasear es aburrido…

3 **Escucha y completa las frases con las actividades que les aburren y que les gustan a cada uno.**

pista 7

Fernando
→ se aburre cuando *va de excursión.*
→ lo pasa bien cuando ……………

Sandra
→ se aburre cuando ……………
→ lo pasa bien cuando ……………

MI GRAMÁTICA

PRONOMBRES DE CD

¿**Lo** has visto? (el mar)

¿**La** has visto? (la ballena)

¿**Los** has visto? (los chicos)

¿**Las** has visto? (las islas)

→ Gramática, p. **42**
→ Cuaderno, p. **25**

4 **Fíjate en las palabras en negrita de los diálogos. Relaciónalas con las palabras de la derecha.**

1 • ¿**La** conocen? ☐
○ No, no hemos ido.

2 • ¿**Los** han visto? ☐
○ No, no **los** conocemos. ☐

a) la isla
b) las playas
c) el Parque Nacional
d) los acantilados

MIS PALABRAS

Aburrirse
Pasarlo bien / mal

→ Palabras, p. **44**
→ Cuaderno, p. **22, 24**

¿QUÉ TIEMPO HACE?

1 **Mira la previsión del tiempo en Puerto de la Cruz. Responde a las preguntas.**

DICIEMBRE						
LUNES 5	MARTES 6	MIÉRCOLES 7	JUEVES 8	VIERNES 9	SÁBADO 10	DOMINGO 11
23 °C 15 °C	22 °C 14 °C	25 °C 16 °C	23 °C 16 °C	24 °C 16 °C	23 °C 14 °C	22 °C 15 °C

a. ¿Qué tiempo va a hacer cada día?
El lunes va a hacer… El martes va a haber…

b. Fíjate en la temperatura y en la época del año. ¿Hace frío o calor?

2 **Escribe qué actividades puede hacer Dácil cada día según el tiempo.**

quedar con amigos para ir a dar una vuelta | hacer windsurf | quedarse en casa | bañarse en el mar | tomar el sol | …

a. *El lunes puede… porque va a…*

b.

c.

d.

e.

f.

g.

3 **¿Y TÚ? ¿Qué puedes hacer cuando hace ese tiempo en tu pueblo o ciudad?**

4 **Investiga. Busca en internet el tiempo que va a hacer la semana que viene en tu pueblo o ciudad. Preséntalo como el hombre o la mujer del tiempo.**

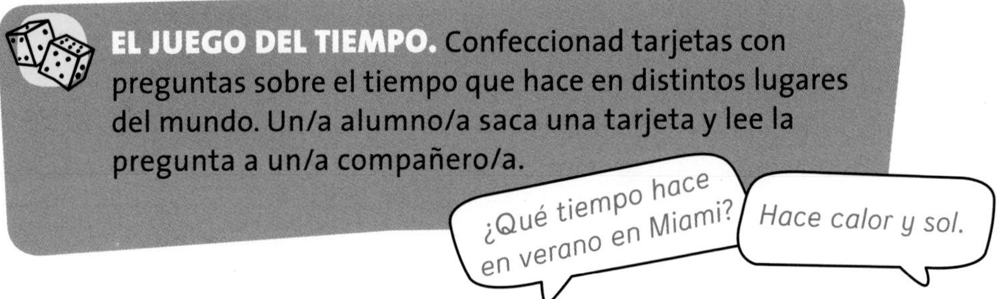

EL JUEGO DEL TIEMPO. Confeccionad tarjetas con preguntas sobre el tiempo que hace en distintos lugares del mundo. Un/a alumno/a saca una tarjeta y lee la pregunta a un/a compañero/a.

RECUERDA

va a llover

MIS PALABRAS

¿Qué tiempo hace?

NEVAR [e → ie]
nieva
(la nieve)

LLOVER [o → ue]
llueve
(la lluvia)

HACER
hace calor
(el calor)

hace frío
(el frío)

hace sol

hace viento

hace 23 grados

ESTAR
está nublado

HABER
hay niebla

→ Palabras, p. 45
→ Cuaderno, p. 23

Taller de lengua 2
DESCUBRIMOS NUESTRO ENTORNO → p. 49

¡UNA GRAN AVENTURA!

1 **¿Has practicado alguna vez estos deportes? ¿Cuáles te gustaría probar? Coméntalo en clase.**

- *A mí me gustaría hacer…*
- *Yo he hecho…*

2 **En parejas, haceos estas preguntas. ¿Quién es el / la más aventurero/a?**

Cuad. p. 27

- *¿Alguna vez has viajado en avión?*
- *Sí, dos veces.*

	VARIAS VECES	UNA VEZ	NUNCA
viajar en avión	*X (dos)*		
actuar o cantar en público			
comer flores			
practicar un deporte de aventura			
pescar			
comer insectos			
tocar una serpiente			
subir a una montaña rusa			
levantarte a las cinco de la mañana para ir de excursión			

3 **¿Qué cosas de la actividad 2 te dan miedo, asco, pereza o vergüenza? Escríbelo en tu cuaderno.**

Me da miedo subir a las montañas rusas.

EL JUEGO DE LA VERDAD. Una persona escribe tres frases en la pizarra: dos ciertas y una falsa. Luego lanza una pelota a un/a compañero/a, que debe adivinar cuál es la falsa. Si falla, sale a la pizarra; si acierta, escoge a un/a compañero/a para escribir otras tres frases.

He hecho windsurf en Rodas.
He comido insectos en México.
He conocido a un famoso.

Nunca has comido insectos.

¡Sí he comido insectos!

¿SABES QUE…?

En español se usan palabras inglesas para nombrar algunos deportes nuevos. La palabra “puenting” es una invención hecha a partir de la palabra española “puente” y la terminación inglesa “-ing”.

RECUERDA

LA FRECUENCIA

- siempre
- muchas veces
- varias veces
- alguna vez
- casi nunca
- nunca

MIS PALABRAS

DAR MIEDO / ASCO / PEREZA / VERGÜENZA

Me da miedo **volar**.

Me da miedo **la oscuridad**.

Me dan miedo **los aviones**.

(*Se construye como **gustar***)

→ Palabras, p. 44
→ Cuaderno, p. 28

¡PUEDES GANAR UN VIAJE!

1 ¿Queréis ganar un viaje? En parejas, responded a las preguntas. ¡Tenéis tres minutos!

1 — 200 PUNTOS

Los Pirineos están...
a. entre Bolivia y Perú.
b. entre España y Perú.
c. entre España y Francia.

2 — 250 PUNTOS

¿Cuál es la ciudad más grande de España?
a. Pontevedra.
b. San Sebastián.
c. Madrid.

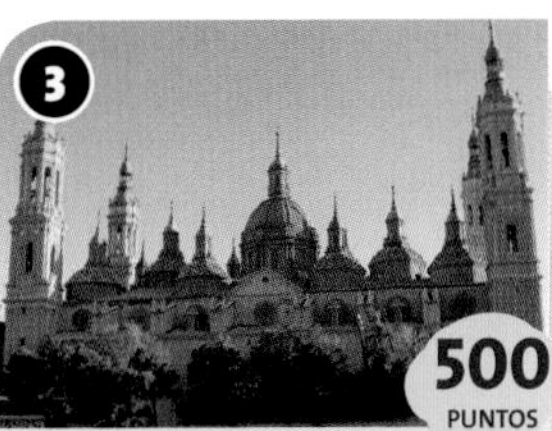

3 — 500 PUNTOS

Zaragoza está...
a. en el oeste de España.
b. en el norte de España.
c. en el sur de España.

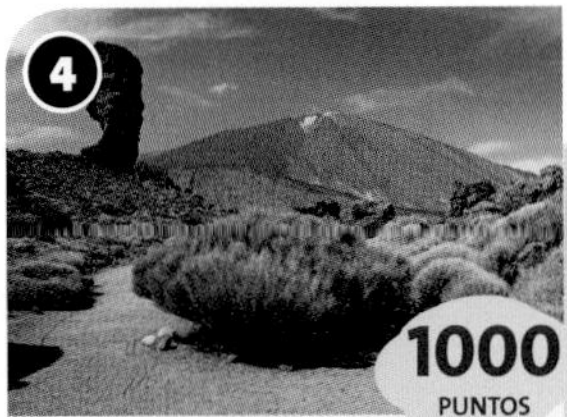

4 — 1000 PUNTOS

¿Cuál es la montaña más alta de España?
a. El Aconcagua.
b. El Everest.
c. El Teide.

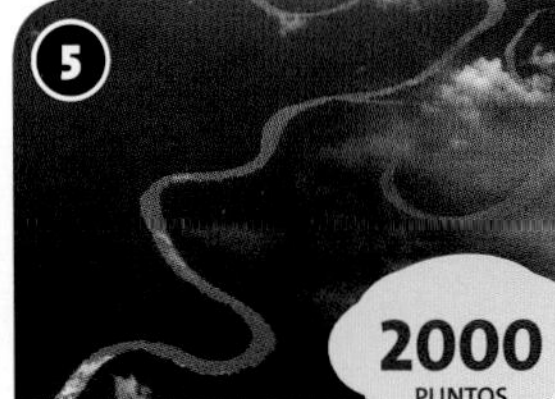

5 — 2000 PUNTOS

¿Cuál es el río más largo de América?
a. El Nilo.
b. El Amazonas.
c. El Tajo.

6 — 5000 PUNTOS

¿Cuál es el país más grande de habla hispana?
a. Cuba.
b. Argentina.
c. Ecuador.

MI GRAMÁTICA

EL SUPERLATIVO

el río **más** largo **de**...

→ Gramática, p. 43
→ Cuaderno, p. 29

MIS PALABRAS

100 cien
110 ciento diez
230 doscientos treinta
500 quinientos
700 setecientos
900 novecientos
1000 mil
1400 mil cuatrocientos
10 000 diez mil
20 000 veinte mil
100 000 cien mil
500 000 quinientos mil
1 000 000 un millón

→ Cuaderno, p. 29
→ Palabras, p. 45

2 Escuchad el concurso y comprobad vuestras respuestas. ¿Cuántos puntos habéis ganado?

pista 8

3 ¿Qué viaje podéis hacer? Leed los premios del concurso para saberlo.

Entre 450 y 950 puntos: un viaje a Zaragoza.
Entre 951 y 5950: un viaje a las islas Canarias.
Entre 5951 y 8950 puntos: una ruta por el Amazonas.

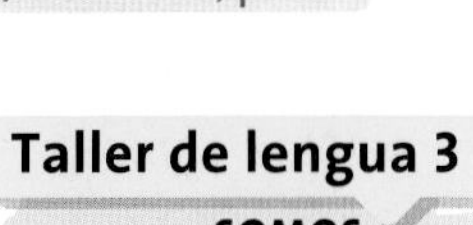

Taller de lengua 3
¿SOMOS AVENTUREROS? → p. 49

4 En parejas, cread dos preguntas más para el concurso. ¿Quién las acierta?

EL PRETÉRITO PERFECTO

Formación del pretérito perfecto

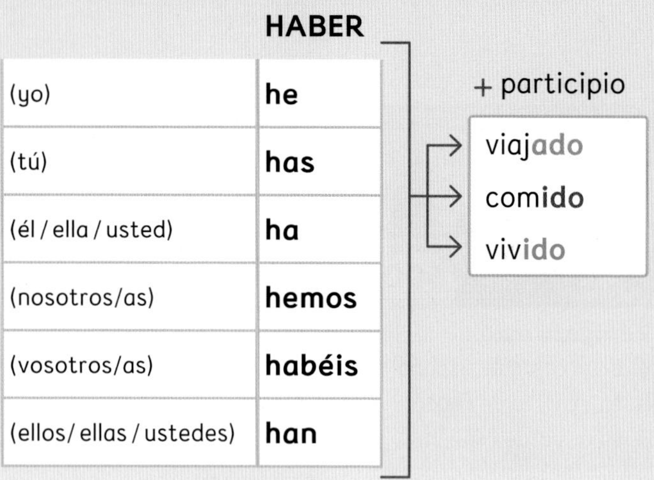

	HABER
(yo)	**he**
(tú)	**has**
(él / ella / usted)	**ha**
(nosotros/as)	**hemos**
(vosotros/as)	**habéis**
(ellos/ ellas / ustedes)	**han**

+ participio
- viajado
- comido
- vivido

El pretérito perfecto se puede usar para hablar de acontecimientos acabados en el momento presente:

- Cuando no queremos situar ese acontecimiento en un momento determinado:
  He estado dos veces en Madrid.
- Cuando situamos ese acontecimiento en un período de tiempo que incluye el momento actual o está muy cerca de este:
  Hoy no he desayunado.

Formación del participio

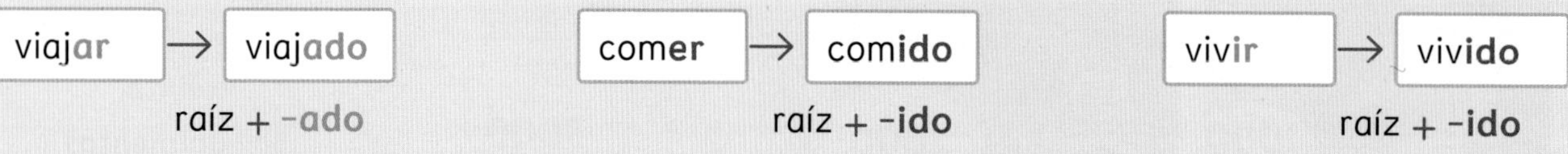

viajar → viajado
raíz + -ado

comer → comido
raíz + -ido

vivir → vivido
raíz + -ido

Algunos participios son irregulares:

ver → **visto**	poner → **puesto**	hacer → **hecho**	abrir → **abierto**
volver → **vuelto**	romper → **roto**	decir → **dicho**	escribir → **escrito**

Los marcadores temporales

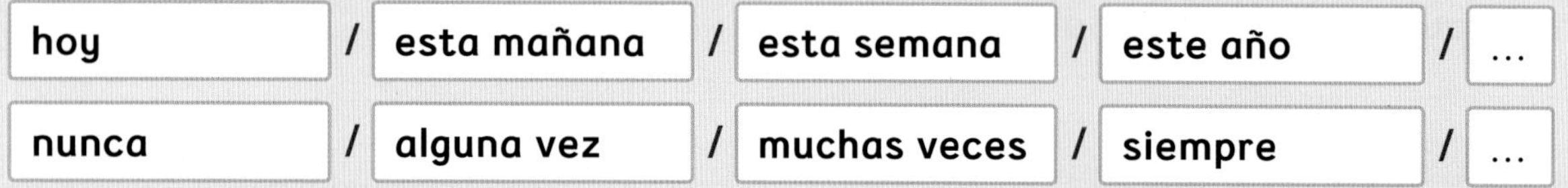

hoy / **esta mañana** / **esta semana** / **este año** / ...

nunca / **alguna vez** / **muchas veces** / **siempre** / ...

- *Este fin de semana he ido a un karaoke.*
- *Yo nunca he cantado en público, me da vergüenza.*
- *¿No? Pues yo lo he hecho muchas veces.*

En el pretérito perfecto, el participio es invariable. Acaba siempre en **-o**.
Marta se ha levantado temprano.

1 **Estás en un campamento de verano con amigos. ¿Qué ha hecho hoy cada uno? Escríbelo.**

a. María y yo *nos hemos bañado en el mar.*
b. Pablo ....
c. Noelia ....
d. Yo ....
e. Arturo y yo ....
f. Mis hermanos ....

- bañarse en el mar ✓
- quedarse en el campamento y preparar la comida
- ir en barco a una isla
- visitar dos pueblos de la región
- hacer submarinismo
- hacer windsurf

2 Completa **las frases con las palabras que faltan. Algunas frases tienen dos posibles respuestas.**

~~ir / este verano~~ | comer / alguna vez | subir / nunca | escribir / nunca | hablar / hoy

a. ¿ *Habéis* ... *ido* ... *este verano* ... a las Canarias? (VOSOTROS)
b. .... a una montaña de más de 3000 m. (YO)
c. ¿........ .... paella? (TÚ)
d. ¿........ .... un poema. (YO)
e. ¿........ .... con la profesora? (TÚ)

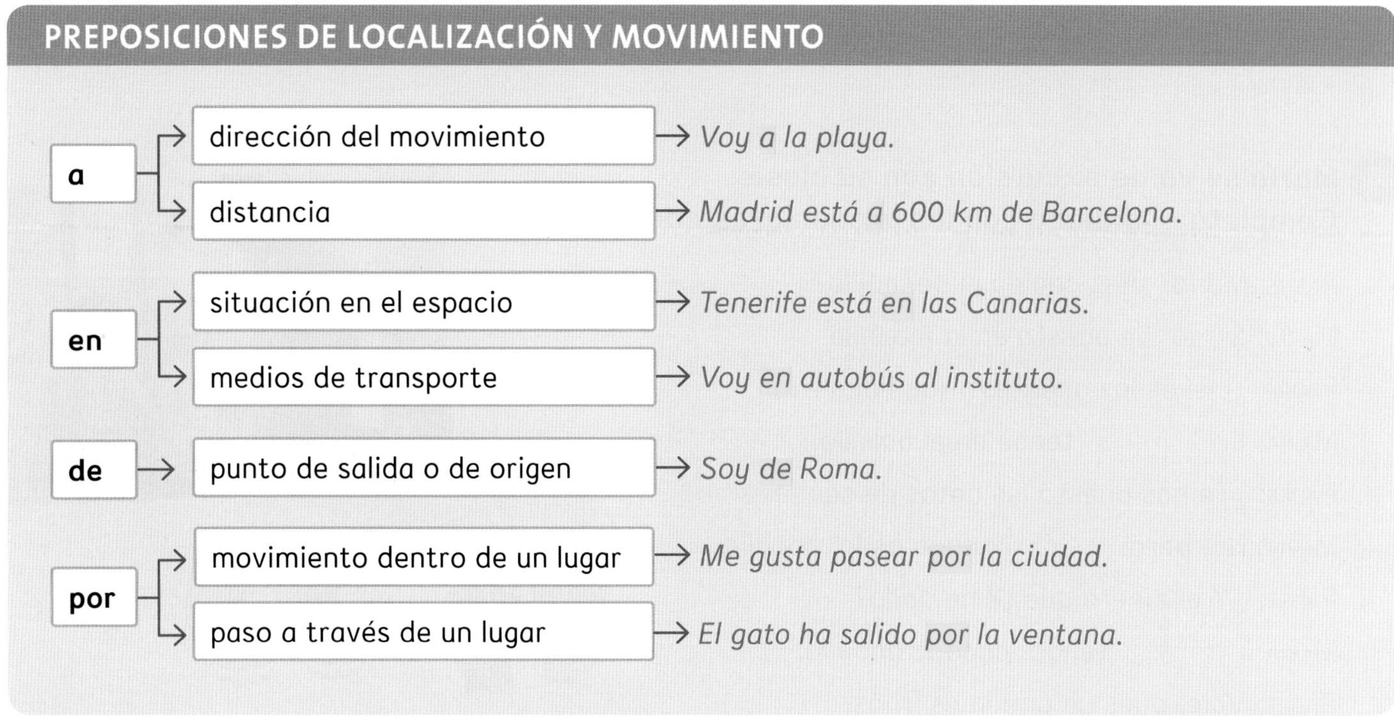

PREPOSICIONES DE LOCALIZACIÓN Y MOVIMIENTO

a	dirección del movimiento	→ *Voy a la playa.*
	distancia	→ *Madrid está a 600 km de Barcelona.*
en	situación en el espacio	→ *Tenerife está en las Canarias.*
	medios de transporte	→ *Voy en autobús al instituto.*
de	punto de salida o de origen	→ *Soy de Roma.*
por	movimiento dentro de un lugar	→ *Me gusta pasear por la ciudad.*
	paso a través de un lugar	→ *El gato ha salido por la ventana.*

3 Completa **las frases con la preposición adecuada (puede haber varias).**

a. Lucas vive *en* Zaragoza.
b. Para ir .... Barcelona .... Murcia hay que pasar .... Valencia.
c. Granada está .... el sur de España.
d. Lucía siempre va .... bicicleta al instituto.
e. Esta mañana he patinado .... el parque.
f. Pamplona está .... 95 km de Vitoria.
g. A Emilio le encanta viajar .... avión.
h. Mi madre es .... Lisboa.
i. ¿Voy yo .... tu casa o vienes tú .... la mía?
j. ¿Puedes pasar .... la panadería y comprar pan?
k. Argentina está .... América del Sur.

LOS PRONOMBRES PERSONALES DE COMPLEMENTO DIRECTO (CD)

me	→ *Mi madre me trae al cole en coche.*
te	→ *Te quiero mucho.*
lo / la	→ *Esa isla no la conozco, pero Tenerife sí.*
nos	→ *Nos esperan a las ocho.*
os	→ *¡Os llamo mañana!*
los / las	→ *No encuentro las llaves, siempre las pierdo.*

Utilizamos los pronombres personales para evitar la repetición del CD cuando este es conocido por los hablantes.

¿Te gustan las flores? Las he comprado hoy.

Se sitúan siempre delante del verbo (excepto con el infinitivo, el gerundio y el imperativo).

Las películas de acción siempre voy a verlas al cine. = Las películas de acción siempre las voy a ver al cine.

4 María se va de excursión con su clase. Completa el diálogo con los pronombres adecuados.

PADRE: María, ¿has cogido el bocadillo?
MARÍA: Sí, *lo* he puesto en la mochila.
PADRE: ¿Llevas los guantes? Hoy hace frío.
MARÍA: Sí, ... tengo en el bolsillo.
PADRE: ¿Te has puesto las botas de senderismo?
MARÍA: No, pero .... tengo en la mochila.
PADRE: ¿Y el dinero que te he dado?
MARÍA: ¡........ tengo, papá, tranquilo!
PADRE: Vale, pues ya podemos irnos.

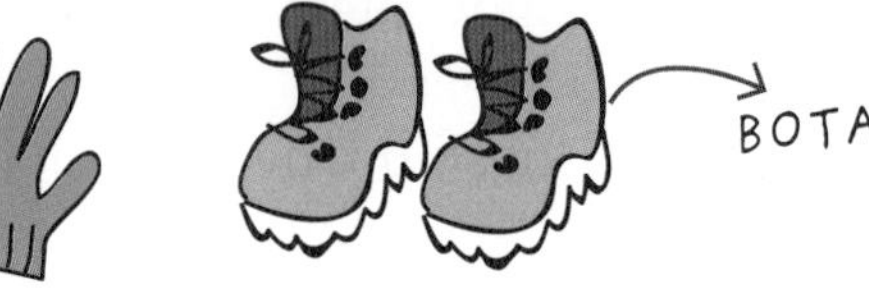

5 Completa las frases con el pronombre adecuado. Fíjate en la parte subrayada.

a. ¿Y mi bolígrafo? No *lo* veo.
b. He comprado una cámara de fotos y .... llevo en todos mis viajes.
c. Hemos perdido el autobús. ¿........ llevas a casa en coche, por favor? (A NOSOTROS)
d. • ¿Dónde están tus libros?
o No lo sé, no .... encuentro.
e. ¿Vosotros estáis de camino? Yo ya he llegado, ... espero fuera.
f. • ¿Conoces la isla de Fuerteventura?
o No, no .... conozco, pero quiero ir.
g. Chicos, ... espero a las siete en mi casa.
h. ¿Dónde está Lorena? No .... veo en la foto.

EL SUPERLATIVO

Superlativo de superioridad

el / la + nombre + **más** + adjetivo + **(de)**

La montaña más alta de España es el Teide.

Superlativo de inferioridad

el / la + nombre + **menos** + adjetivo + **(de)**

La provincia menos poblada de España es Soria.

Existen algunos superlativos irregulares:
~~más bueno/a/os/as~~ → **mejor/es**
~~más malo/a/os/as~~ → **peor/es**
Para mí, la peor asignatura es Matemáticas.

6 Completa **estas preguntas sobre tu país.**
Luego, escribe **las respuestas.**

a. ¿Cuál es .... ciudad .... grande? → ....
b. ¿Cuál es .... río .... largo? → ....
c. ¿Cuál es .... montaña .... alta? → ....
d. ¿Cuáles son .... dos ciudades .... turísticas? → ....
e. ¿Cuáles son .... dos regiones .... bonitas? → ....

7 Completa **con los superlativos de los siguientes adjetivos.**
¡No olvides la concordancia!

bueno | antiguo | ~~bonito~~ | grande

- Si vas a Andalucía, tienes que visitar Córdoba y Cádiz.
- ¿Cuál es la *más bonita*?
- Las dos son preciosas. Cádiz es la ....: ¡hay ruinas fenicias del siglo VIII a. C.!
- ¿Y cuál es la ....?
- Córdoba. Tiene unos 328 000 habitantes.
- ¿Y qué playas de Cádiz me recomiendas?
- Para mí, la .... playa de Cádiz es la de Conil, pero todas están bien.

VIAJES

LAS ACTIVIDADES

TURÍSTICAS

viajar

pasear = dar una vuelta

bañarse

tomar el sol

visitar un lugar

ver ballenas / ...

explorar

quedarse (en un lugar)

quedar con amigos

DEPORTIVAS

Hacer...

windsurf

rafting

puenting

paracaidismo

submarinismo

escalada

vela

senderismo

¡TAMBIÉN DECIMOS IR DE EXCURSIÓN!

EMOCIONES Y EXPERIENCIAS

Dar...

pereza

vergüenza

asco

miedo

aburrirse

pasarlo bien

LOS MEDIOS DE TRANSPORTE

Ir en...

barco

monopatín

coche

bicicleta

ferry

tren

autobús

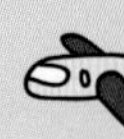
avión

kayak

teleférico

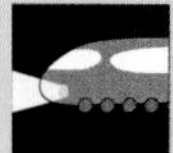
metro

Ir a...

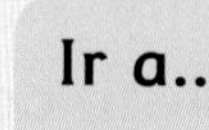

pie

LOS NÚMEROS

1 Escribe estos números en letras.

a. 55 ⟶ *cincuenta y cinco*

b. 555 ⟶ ....

c. 5555 ⟶ ....

d. 55 555 ⟶ ....

e. 555 555 ⟶ ....

f. 5 555 555 ⟶ ....

la montaña

el río
el lago

el mar

la playa

la isla

el volcán
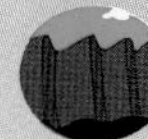
los acantilados

LA GEOGRAFÍA

el sol (hace sol)

el viento (hace viento)

la nube (está nublado)

la niebla (hay niebla)

la lluvia (llueve)

la nieve (nieva)

el frío ≠ el calor (hace frío ≠ hace calor)

EL TIEMPO

Y AVENTURAS

LOS NÚMEROS

100 cien
101 cien**to** un/**o**/**a**
135 cien**to** treinta **y** cinco
...
200 doscient**os**/**as**
300 trescient**os**/**as**
400 cuatrocient**os**/**as**
500 **quinientos**/**as**

600 seiscient**os**/**as**
700 **sete**cient**os**/**as**
800 ochocient**os**/**as**
900 **nove**cient**os**/**as**
1000 mil
2000 dos mil
...

10 000 diez mil
...
200 000 doscient**os**/**as** mil
...
1 000 000 un millón
2 000 000 dos millones
...

EL TIEMPO

2 Traduce **los dibujos a palabras o expresiones.**

a. En la Patagonia, hoy y . ⟶ *En la Patagonia, hoy hace frío y nieva.*
b. En Madrid, hoy , pero . ⟶ ....
c. En Tarifa, hoy y . ⟶ ....
d. En Bogotá, hoy . ⟶ ....

3 ¡Crea tu propio mapa mental! **Añade las palabras que necesites para hablar de las actividades que has hecho o que te interesan.**

LA VENTANA

~ PERIÓDICO DIGITAL ~

En esta edición hablamos de los antiguos habitantes de Tenerife, del lenguaje de los silbidos y de un parque natural.

LAS ISLAS CANARIAS, UN MUNDO EN CADA ISLA

VÍDEO

DVD 2

↑ *Islas Canarias*, vacaciones-espana.es (2016)

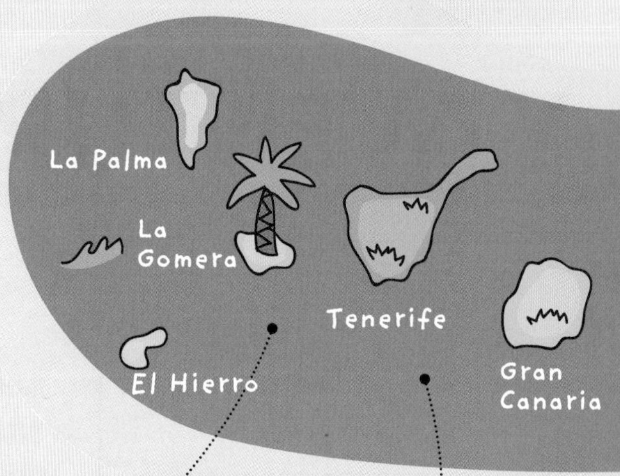

El lenguaje de los silbidos

El lenguaje silbado de la isla de La Gomera, llamado “silbo gomero”, reproduce con silbidos el español hablado por los isleños. Transmitido de maestros a discípulos a lo largo de siglos, es el único lenguaje silbado del mundo practicado por una comunidad numerosa (más de 22 000 personas). El silbo gomero es considerado Patrimonio de la Humanidad según la UNESCO.

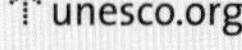
unesco.org

Los guanches

Son los antiguos habitantes de la isla de Tenerife y su lengua está relacionada con las lenguas bereberes. Hace siglos que no se habla, pero se conserva en algunos nombres de personas, como Airam, Gara o Dácil, y también en nombres de lugares.

← Escultura de un jefe guanche

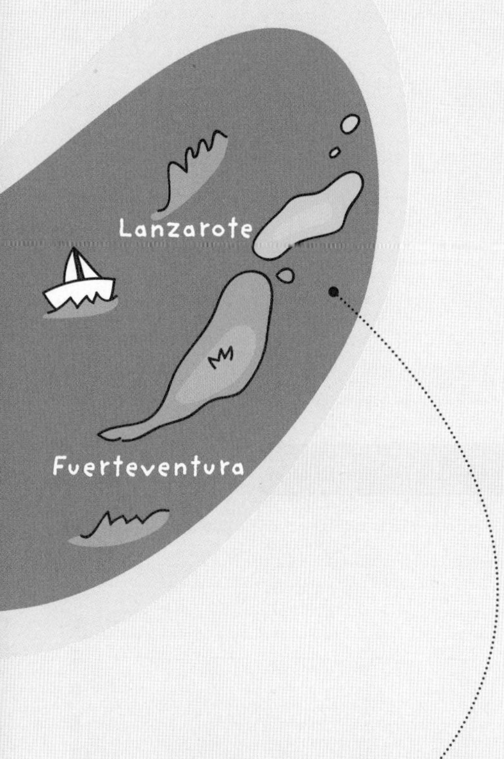

La isla de los volcanes

En el interior del parque nacional de Timanfaya (Lanzarote) se puede observar una gran variedad de fenómenos geológicos relacionados con su naturaleza volcánica, así como una gran diversidad de especies. Se trata de un hábitat donde la presencia humana ha sido prácticamente nula.

↑ lanzaroteysusvolcanes.blogspot.com.es (2010)

Timanfaya → (Lanzarote)

1 **¿Qué se conserva de la lengua guanche?**

2 **¿Cómo considera la UNESCO el silbo gomero?**

3 **¿Qué tiene de especial el parque nacional de Timanfaya?**

4 **¿Cuál de estas islas te gustaría visitar? ¿Por qué?**

5 **Mira el vídeo y responde.**

a. ¿Dónde están las islas Canarias?

....

....

b. ¿Cuáles son las islas más visitadas?

....

c. ¿Qué recomiendan visitar en Tenerife?

....

....

....

....

d. ¿Qué se puede hacer durante todo el año?

....

¡Eres periodista!

Vas a investigar sobre una de las islas Canarias.

Busca información en internet sobre una de las islas y completa una ficha con estos datos:

- Nombre de la isla
- Ciudades importantes
- Actividades que se pueden hacer
- Lugares que se pueden visitar
- Clima

Educación para la justicia social

EL FUTURO HECHO A MANO

VÍDEO DVD 3

Carla Fernández, Singapore International Festival of Arts (2016)

Carla Fernández es una diseñadora de moda que trabaja con varias ONG. Ha creado el Taller Flora, donde trabaja con artesanas mexicanas y utiliza telas y dibujos tradicionales indígenas.

1 Reflexiona.

a. ¿Sabes qué es el comercio justo? Cita algún producto que relaciones con este tipo de comercio.

b. Escribe una definición para comercio justo. Puedes usar estas expresiones u otras.

pagar salarios y precios justos | respetar el medio ambiente | tratar igual a hombres y mujeres | ofrecer productos más artesanales y tradicionales

2 Observa la imagen y descríbela. ¿Dónde están? ¿Qué crees que están haciendo?

3 Mira el vídeo sobre el Taller Flora y responde.

a. ¿Quiénes trabajan en el taller? ¿Qué hacen?

b. ¿La tradición indígena tiene importancia en el taller? ¿Por qué?

c. ¿Cuáles son los objetivos del taller?

d. ¿Quiénes son las mujeres que aparecen al final? Describe a tres mujeres, puedes usar estas palabras u otras.

tímida | orgullosa de su trabajo | alegre | seria

4 Reflexiona. ¿Por qué crees que Carla Fernández ha escogido el lema "Para nosotras el futuro está hecho a mano" para referirse al taller?

5 Actúa. Inventa un eslogan para fomentar el comercio justo.

Taller 1 • LECCIÓN 1

¡MI VIDA ES UN VIAJE!

Alternativa digital
Usa un programa de tratamiento de imagen para componer un *collage* con los elementos escogidos.

Nos preparamos

1 **Vas a crear** una página de **un cuaderno de viajes** para ilustrar lo **que has hecho en un fin de semana**. Guarda tiques de transporte, etiquetas, entradas de cine, flores de alguna excursión…

Lo creamos

2 **Pega todos los objetos** en tu libreta. También **puedes hacer dibujos y pegar fotos. Escribe frases** para contar qué has hecho.

Lo presentamos

3 **Enseña y explica tu cuaderno** a la clase. ¿Cuál es más original? ¿Cuál es más bonito? ¿Quién ha hecho más cosas?

Taller 2 • LECCIÓN 2

DESCUBRIMOS NUESTRO ENTORNO

Alternativa digital
Usad un programa de tratamiento de imagen para componer el mapa.

Nos preparamos

1 **Vais a hacer un mapa de lugares y actividades** para visitar el próximo fin de semana. En grupos de tres, **pensad en actividades y en lugares** para visitar.

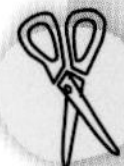

Lo creamos

2 **Consultad la previsión meteorológica** y decidid a qué sitios vais a ir. Marcadlos en un mapa.

Lo presentamos

3 **Dibujad símbolos del tiempo** al lado de cada lugar. **Escribid** qué tiempo va a hacer, qué vais a hacer y cuándo.

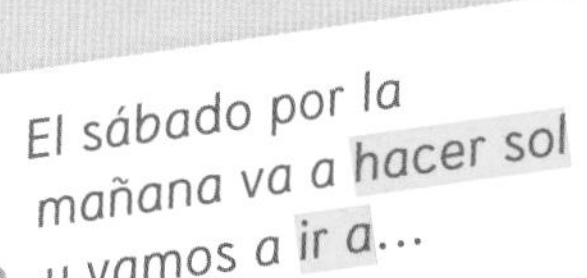

Taller 3 • LECCIÓN 3

¿SOMOS AVENTUREROS?

Alternativa digital
Utiliza un programa de diseño para hacer el póster.

Nos preparamos

1 **Vas a hacer un póster** con **las actividades** más aventureras o curiosas **que has hecho** en tu vida (puedes inventarlas). **Piensa** en cuáles puedes poner.

Lo creamos

2 **Busca fotos** para ilustrar esas actividades y **pégalas** en una cartulina. **Escribe debajo una frase** para describirlas.

Lo presentamos

3 **Colgad los pósteres** en la pared. ¿Cuáles son las actividades más curiosas? ¿Y las más atrevidas?

¡He subido muchas veces a una montaña rusa!

UNIDAD 3
Todo cambia

Vista de la ciudad de Valparaíso

LECCIÓN 1

Hablo de... la vida de antes y ahora, y de la infancia en diferentes culturas.

- El imperfecto
- Describir personas
- Marcadores temporales: **antes, ahora**
- La vida tradicional

Taller de lengua 1 Creo un póster sobre mi infancia.

LECCIÓN 2

Hablo de... la escuela y de los juegos de antes.

- Los posesivos tónicos
- La escuela
- Juegos de antes y de ahora

Taller de lengua 2 Comparo la escuela de la época de mis padres o abuelos con la escuela actual.

LECCIÓN 3

Hablo de... los cambios en los medios de comunicación.

- La preposición **para**
- Las nuevas tecnologías
- **Estar** + gerundio

Taller de lengua 3 Explicamos la evolución de de algunas actividades a lo largo de la historia.

LA VENTANA
PERIÓDICO DIGITAL
Hablamos del pueblo mapuche y de Chile.

Reflexionamos sobre la igualdad de género con una campaña chilena.

En esta unidad nos habla Marco Antonio desde Valparaíso (Chile).

Marco Antonio
¡Chicos! ¡Mañana hay una fiesta en mi escuela y voy a jugar al palo ensebado! 9:29

Marc
¿Palo ensebado? ¿Qué es eso? 9:30

Marco Antonio
Hay que subir por un palo que tiene jabón para llegar a los premios. 9:32

Dácil
¡En España ese juego se llama cucaña! Antes había cucaña en las fiestas de Santa Cruz de Tenerife. Mi abuelo siempre ganaba... 9:36

Marc
¡Parece difícil! 9:38

Marco Antonio
Yo creo que lo voy a conseguir, pero nunca se sabe. ¡Mañana os envío fotos! 9:42

¡EN MARCHA!

1 **Lee los mensajes del chat. ¿A qué va a jugar Marco Antonio? En parejas, comentad el significado de las palabras palo, jabón y premio. ¿Entendéis en qué consiste el juego?**

2 **Busca en internet "palo ensebado" o "cucaña" y mira algún vídeo. ¿Te parece divertido? ¿Y difícil?**

3 **Escucha la entrevista a Marco Antonio. Completa las frases con la opción correcta.** (pista 9)

a. Antes vivía en...
- San Pedro de Atacama. ☐
- Santiago de Chile. ☐

b. Allí jugaba en...
- el parque. ☐
- la playa. ☐

c. Ahora va mucho a...
- la montaña. ☐
- la playa. ☐

Casa-museo La Sebastiana

¿SABES QUE...?

Valparaíso es la segunda ciudad más grande de Chile y su nombre significa 'valle del paraíso'. Su centro histórico es Patrimonio de la Humanidad de la UNESCO. Allí se puede visitar La Sebastiana, la casa-museo del poeta Pablo Neruda.

CUANDO ERA PEQUEÑO/A...

1 Mira estas fotos de Marco Antonio antes y ahora. Lee las frases y di a qué foto corresponden.

Cuad. p. 32

- Tenía el pelo más largo y rizado. [a]
- Llevaba camisetas de colores vivos. [ ]
- Juega al fútbol con sus amigos. [ ]
- Es aficionado del Barça. [ ]
- Es muy alto (mide un metro sesenta). [ ]
- Iba mucho a la playa y jugaba con la arena. [ ]

2 Escucha a Marco Antonio y di:

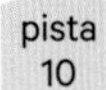

pista 10

a. Cómo era su carácter. ....

b. Qué le gustaba hacer. ....

c. Con qué juguetes jugaba. ....

3 Descríbete a ti mismo/a cuando tenías cinco años. Explica cómo era tu aspecto físico y tu carácter, cuáles eran tus juguetes favoritos y qué te gustaba hacer.

a. Tenía ....

b. Era ....

c. Llevaba ....

d. Me gustaba/n ....

e. No me gustaba/n ....

EL JUEGO DE CUANDO ÉRAMOS PEQUEÑOS. Traed una fotografía de cuando erais pequeños. Colgad todas las fotos en la pared e intentad adivinar quién es quién. Para confirmarlo, tenéis que haceros preguntas (podéis usar un diccionario).

Marcela, ¿llevabas coletas?

No.

RECUERDA

pelo — liso / rizado / largo ≠ corto

gordo/a → **gordito/a** ≠ delgado/a

bajo/a → **bajito/a** ≠ alto/a

→ Palabras, p. 62

MIS PALABRAS

llevar — gafas / coleta(s)

llevar camisetas / pantalones...

....

medir 1,50

→ Palabras, p. 62

MI GRAMÁTICA

EL IMPERFECTO

LLEVAR

(yo)	llevaba
(tú)	llevabas
(él / ella)	llevaba

....

TENER → tenía, tenías tenía

....

VIVIR → vivía, vivías, vivía

....

SER → era, eras, era

→ Gramática, p. 58, 59
→ Cuaderno, p. 35

UNA INFANCIA MUY DIFERENTE

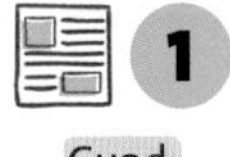

Cuad. p. 33

1 Lee el texto y subraya las palabras que entiendes. Luego, ponedlas en común en grupos. ¿Comprendéis el texto?

Los mapuches son uno de los pueblos originarios de Chile más numerosos en la actualidad. Con una población de medio millón de individuos, conservan aún su lengua, el mapudungun, y, en gran parte, su cultura.

El pueblo mapuche se identificaba fuertemente con la naturaleza. Desde que el niño era pequeño, padre y madre lo llevaban a todas partes con ellos. La madre era la encargada de la comida, de la ropa y de la limpieza de sus hijos, así como también de enseñarle canciones y relatos mapuches.

El padre enseñaba a sus hijos las tareas del campo, como buscar las ovejas, sacar el cuero de los animales, cortar leña, hacer pan o buscar agua.

↑ *La vida familiar de los mapuches*, www.icarito.cl (2009)

¿SABES QUE...?

Los mapuches son un pueblo originario americano; es decir, que existía antes de la llegada de los españoles a América. Actualmente, los mapuches viven en algunas zonas de Chile y de Argentina.

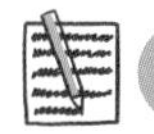

2 Piensa en la infancia de tus antepasados (padres, abuelos, bisabuelos...). Escribe el nombre de alguien que conoces que...

1. vivía en el campo. ....
2. vivía en la ciudad. ....
3. trabajaba cuando era niño/a. ....
4. iba con su padre a trabajar. ....
5. hablaba una lengua distinta de la tuya. ....

1. *Mi abuelo vivía en un pueblo muy pequeño, en el campo.*

MI GRAMÁTICA

	IR
(yo)	iba
(tú)	ibas
(él / ella)	iba

→ Gramática, p. 58, 59
→ Cuaderno, p. 35

3 Busca más información sobre los mapuches en la siguiente web o en otras. Elige un tema y preséntalo a la clase.

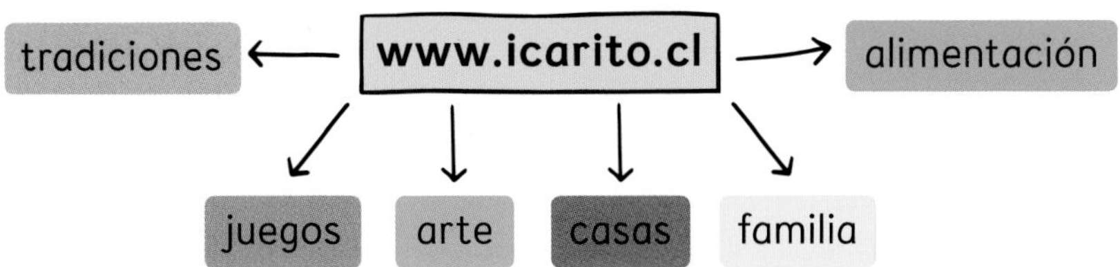

↑ Catuto, comida tradicional mapuche

Taller de lengua 1
¡QUÉ CAMBIOS! → p. 67

HISTORIA DE LA ESCUELA

1 Lee **estos dos textos.** Pon **un título a cada uno.** Relaciona **las fotografías con los textos.**

Cuad. p. 36

Archivo Fotográfico Museo de la Educación Gabriela Mistral

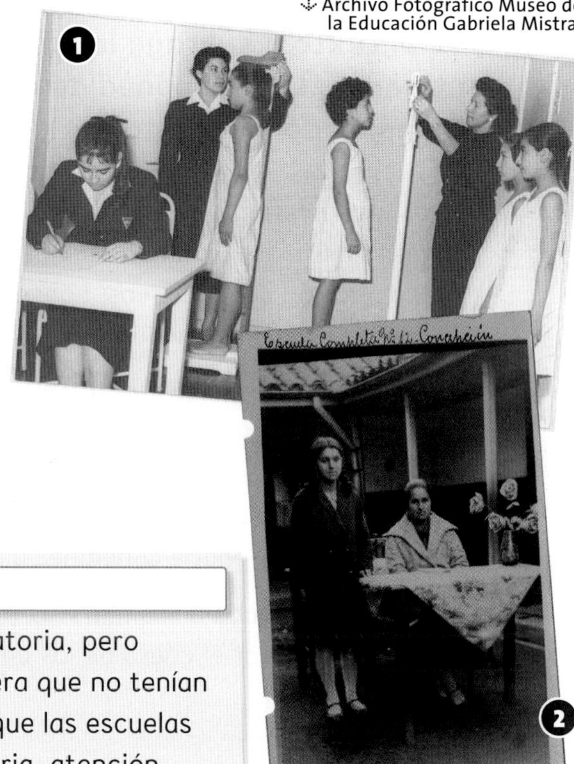

En 1865, las personas que sabían leer y escribir eran menos del 20 % de la población. Muchos niños que iban a la escuela en esa época eran los primeros en aprender a leer y a escribir de sus familias y algunos de ellos (las llamadas *Brigadas de Pequeños Maestros*) se encargaban de enseñar a los adultos. ☐

A partir de 1920, la asistencia a la escuela fue obligatoria, pero muchos niños y niñas no iban. El principal problema era que no tenían ni los alimentos ni la salud ni la ropa necesarios, así que las escuelas se encargaban de dar, además de la alimentación diaria, atención médica, dental y enseñanza de higiene. ☐

www.chileparaninos.cl (2016)

MI GRAMÁTICA

EL IMPERFECTO

(ellos / ellas) **llevaban**

(ellos / ellas) **tenían**

(ellos / ellas) **vivían**

→ Gramática, p. 58, 59

→ Cuaderno, p. 35

2 Vuelve a leer **los textos y** responde.

a. ¿Por qué a finales del siglo XIX los niños hacían de maestros de los adultos de su familia? ¿Qué les enseñaban?

....

....

....

b. ¿Por qué a principios del siglo XX muchos niños no iban a la escuela?

....

....

c. ¿Qué ofrecía la escuela que ahora no ofrece?

....

....

3 Escucha **a Marco Antonio hablando con su madre. ¿De cuál de las dos fotos hablan?** Toma nota **de la información nueva.**

pista 11

....

....

....

COMPARTIMOS EL MUNDO

Antiguamente, solo algunos niños y niñas recibían educación; lo normal era trabajar desde pequeños.

¿Cuándo empezó a ser obligatoria la escuela en tu país? Investiga en internet.

JUEGOS TRADICIONALES

1 Mirad **las imágenes de estos juegos tradicionales y** responded **a las preguntas.**

MIS PALABRAS

jugar a...
videojuegos
juegos de mesa
juegos de rol

jugar a la...
consola
pelota

jugar con muñecas

→ Palabras, p. 63
→ Cuaderno, p. 38

MI GRAMÁTICA

Todavía juego al fútbol (antes jugaba y ahora también juego).

Ya no juego al fútbol (antes jugaba, pero ahora no).

a. ¿Conoces estos juegos? ....

b. ¿Se jugaban antes en tu país? ....

c. ¿Los niños todavía juegan a estas cosas? ....

d. Y tú, cuando eras pequeño/a, ¿jugabas a alguna de estas cosas? ¿Todavía juegas a alguna de ellas? ....

e. ¿A qué jugabas tú de pequeño/a? ....

MI GRAMÁTICA

LOS POSESIVOS TÓNICOS

el mío	**la mía**
el tuyo	**la tuya**
el suyo	**la suya**

- Mi juego favorito era el escondite.
- **El mío**, la rayuela.

→ Gramática, p. 60
→ Cuaderno, p. 39

2 **En parejas, hablad de vuestras preferencias de cuando erais pequeños. ¿Os gustaban las mismas cosas?**

a. Película favorita o dibujos animados favoritos

b. Libro o cuento favorito

c. Comidas y bebidas favoritas

- *Mi película favorita era... ¿Y la tuya?*
- *La mía era...*

Taller de lengua 2
LA ESCUELA DE ANTES → p. 67

¿CÓMO NOS COMUNICAMOS?

1 **Mira las imágenes. ¿Qué hacía la gente en distintas épocas?**

la antigüedad | el siglo XVI | el siglo XX | la actualidad

- *En la antigüedad la gente para informarse leía…*

Para hablar

Para informarse

Para escuchar música

Para ver películas / series

2 **¿Y TÚ? ¿Qué usas para hablar, leer, escuchar música y ver películas?**

- *Para hablar con mis amigos, uso…*

3 **¿Y TÚ? ¿Para qué usas el móvil? Coméntalo con dos compañeros.**

EL PIMPÓN DE LOS CAMBIOS. Un/a compañero/a dice una frase como la del ejemplo con cosas que se hacían en otra época y le tira una pelota a otro/a. Este/a tiene que responder si todavía lo hacemos o ya no.

En el siglo XX la gente viajaba en tren.

Ahora mucha gente todavía viaja en tren.

MIS PALABRAS

MARCADORES TEMPORALES

en
- la prehistoria
- la antigüedad
- la época de...
- los años 80...
- el siglo...
- la actualidad

→ Palabras, p. 62

MI GRAMÁTICA

LA PREPOSICIÓN PARA

Para hablar con mis abuelos, uso el teléfono de mi casa.

→ Gramática, p. 60
→ Cuaderno, p. 42

MIS PALABRAS

ver la televisión
ver películas
hablar por teléfono
escuchar la radio

→ Palabras, p. 63
→ Cuaderno, p. 42

MI GRAMÁTICA

EL IMPERFECTO DE VER

(yo) **veía**
(tú) **veías**
(él / ella) **veía**

→ Gramática, p. 58, 59
→ Cuaderno, p. 35

ACTUALIZANDO MI ESTADO

1 Lee **este cómic. ¿Qué está haciendo Pepe?**
Relaciona **las frases con cada viñeta.**

↑ Jesús Martínez del Vas

1. currando: *trabajando (coloq.)* 2. caducao: *forma coloquial de "caducado"*
3. pillar: *coger, tomar (coloq.)*

a. Está comiendo en un restaurante. 2
b. Está en el váter. ☐
c. Está subiendo al autobús. ☐
d. Está trabajando. ☐

MI GRAMÁTICA

ESTAR + GERUNDIO
está actualiza**ndo**
está comie**ndo**
está subie**ndo**

EL GERUNDIO
TRABAJAR → **trabajando**
COMER → **comiendo**
SALIR → **saliendo**

→ Gramática, p. **61**
→ Cuaderno, p. **43**

2 Di **cuál es el mensaje de la tira cómica.**

a. No tiene cobertura de internet. ☐
b. Pasa muchas horas trabajando en el ordenador. ☐
c. Publica lo que hace cada momento en las redes sociales. ☐

3 Imagina que son las 20 h. Pepe ha publicado un nuevo estado. Escribe **un comentario para responderle.** Di **qué estás haciendo tú y cómo te sientes.**

RECUERDA

contento/a
triste
enfadado/a
deprimido/a
nervioso/a
asustado/a
cansado/a

tener ganas de ir / hacer...

EL JUEGO DEL MIMO. Un/a compañero/a representa con mímica una acción. Quien adivine qué está haciendo representa otra acción.

¡Estás nadando!

¡Estás leyendo un libro!

Taller de lengua 3
LOS MEDIOS EVOLUCIONAN → p. 67

EL IMPERFECTO

Verbos regulares

USAR	TENER	VIVIR
usaba	tenía	vivía
usabas	tenías	vivías
usaba	tenía	vivía
usábamos	teníamos	vivíamos
usabais	teníais	vivíais
usaban	tenían	vivían

Verbos irregulares

SER	IR	VER
era	**iba**	veía
eras	**ibas**	veías
era	**iba**	veía
éramos	**íbamos**	veíamos
erais	**ibais**	veíais
eran	**iban**	veían

Usos

El imperfecto se usa para describir a personas, lugares y situaciones en el pasado. → *Yo antes tenía el pelo largo. / En la época de mis abuelos no había móviles.*

También se usa para hablar de una costumbre o una acción que se repite en el pasado. → *De niña siempre jugaba en casa de mi vecina.*

Marcadores temporales

antes → *Antes la gente escuchaba más la radio.*

en la antigüedad → *En la antigüedad no había electricidad.*

en los años... → *En los años 80, la gente no tenía móviles.*

en la época de... → *En la época de mis abuelos, los niños trabajaban.*

en esa época → *En esa época no había tantos coches.*

1 Escribe **el sujeto o sujetos a los que corresponden estas formas verbales.**

a. comía: *yo, él, ella*

b. jugábamos: ....

c. ibais: ....

d. leían: ....

e. tenía: ....

f. eran: ....

g. estaba: ....

h. hablaban: ....

i. utilizábamos: ....

j. vivías: ....

k. trabajaba: ....

l. aprendíamos: ....

2 Susana ha cambiado mucho. Completa los verbos con la forma adecuada.

ir | hablar | tener | jugar

ANTES

AHORA

a. Antes .... el pelo negro.
Ahora .... el pelo rubio.

b. Antes .... mucho a la cuerda.
Ahora .... mucho a videojuegos.

c. Antes .... a comprar ropa con sus padres.
Ahora .... a comprar ropa con sus amigas.

d. Antes no .... inglés.
Ahora .... muy bien inglés.

3 Describe a un buen amigo o amiga de la infancia. Puedes usar estos verbos u otros.

ir | vivir | tener | jugar | ser | estar | gustar

....

....

....

....

....

....

4 Algunos objetos cambian con el tiempo. Completa el texto con los tiempos verbales adecuados. ¿Sabes de qué objeto habla?

En los años 40, ese objeto (SER) .... en blanco y negro. (PESAR) .... mucho y (TENER) .... una pantalla bastante pequeña. Para cambiar el canal, (HABER) .... que levantarse y tocar un botón. En cambio, la actual (SER) .... en color. (PESAR) .... menos y (PODER) .... tener una pantalla muy grande. Además, todas (TENER) .... un mando a distancia.

Es ....

5 ¿Cómo era la vida en estas épocas? Completa las frases.

a. En la prehistoria la gente .... en cuevas.

b. En el siglo XIX muchos niños .... muchas horas en las fábricas.

c. En los años 80 la gente no .... aún internet en casa.

d. En la época de mis abuelos ....

LOS PRONOMBRES POSESIVOS TÓNICOS

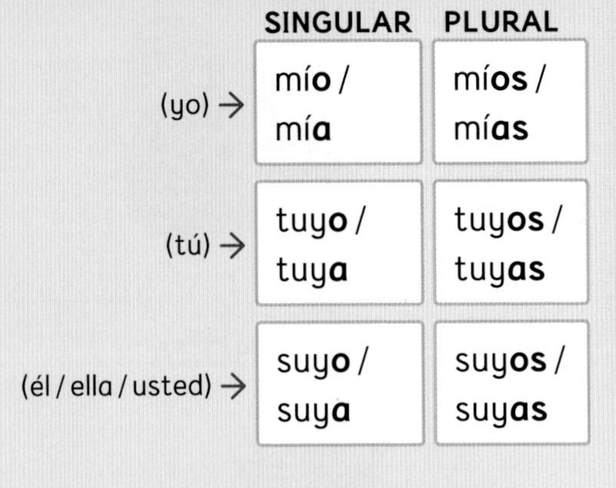

	SINGULAR	PLURAL
(yo) →	mí**o** / mí**a**	mí**os** / mí**as**
(tú) →	tuy**o** / tuy**a**	tuy**os** / tuy**as**
(él / ella / usted) →	suy**o** / suy**a**	suy**os** / suy**as**

	SINGULAR	PLURAL
(nosotros/as) →	nuestr**o** / nuestr**a**	nuestr**os** / nuestr**as**
(vosotros/as) →	vuestr**o** / vuestr**a**	vuestr**os** / vuestr**as**
(ellos / ellas / ustedes) →	suy**o** / suy**a**	suy**os** / suy**as**

● *¿De quién es esta mochila?*

○ *Mía.*

Cuando se usan para no repetir un nombre, van precedidos de un artículo determinado:

● *Mi escuela era muy pequeña, ¿y la tuya?* (la tuya = tu escuela)

○ *La mía era muy grande.* (la mía = mi escuela)

6 Completa **estas frases con pronombres posesivos tónicos.**

a. ● Mi hermano tiene 18 años. ¿Y (TÚ) *el tuyo*?
○ (YO), ... 21.

b. ● Mis abuelos nunca han montado en avión, ¿(TÚ) .... sí?
○ Sí, (YO) .... sí, muchas veces.

c. ● En mi casa tenemos dos televisores. ¿En (TÚ) .... también?
○ No, en (YO) .... solo hay uno. Pero tenemos tres ordenadores.

LAS PREPOSICIONES **POR** Y **PARA**

Usos de **para**

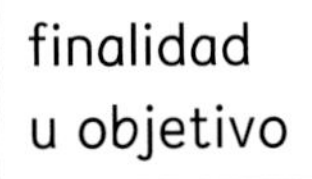

→ *Uso mucho la Wikipedia para buscar información.*
→ *Mañana tengo un examen para subir nota.*

destinatario
→ *El regalo es para mi madre.*
→ *¿Para quién es esta carta?*

Usos de **por**

una parte del día
→ *Normalmente me ducho por la noche.*
→ *Me gusta nadar por la mañana.*

lugar de paso
→ *Tienes que ir por el parque.*
→ *Es mejor ir por la autopista.*

medio
→ *Te he llamado por teléfono.*
→ *Envíame la foto por WhatsApp.*

7 Completa **las frases con** por **o** para.

a. Sara me ha enviado unas fotos .... correo electrónico.

b. Esta mañana he pasado .... tu calle.

c. El zumo de naranja es .... Manuel.

d. .... las tardes paseo con mi perro.

e. Estudio español .... hablar con Tui, mi amiga chilena.

ESTAR + GERUNDIO

estar + gerundio → Describe una acción en curso. → • *Mario, ¿quieres jugar al fútbol?*
○ *No, no puedo, estoy estudiando.*

Formación del gerundio

habl**ar**	→	habl**ando**	com**er**	→	com**iendo**	viv**ir**	→	viv**iendo**
verbos en -ar		raíz + -ando	verbos en **-er**		raíz + **-iendo**	verbos en -ir		raíz + **-iendo**

Algunos gerundios irregulares:

	PRESENTE	GERUNDIO
pedir →	pido →	pidiendo
decir →	digo →	diciendo
sentir →	siento →	sintiendo
dormir →	duermo →	durmiendo

Los verbos de la tercera conjugación (**-ir**) que cambian la vocal en el presente de indicativo (**e/i**, **e/ie**, **o/ue**) también son irregulares en el gerundio.

	GERUNDIO
leer →	le**y**endo
traer →	tra**y**endo
oír →	o**y**endo
ir →	**y**endo

Si la **i** de **-iendo** se encuentra entre dos vocales o al inicio de palabra, se transforma en **y**.

8 Completa **las fichas del dominó.**

hablar	*hablando*	ver		creer			seguir
	aprender	siendo			cayendo		muriendo

9 **¿Qué está haciendo Paco?**

1 *Está chateando.*

2 ______

3 ______

4 ______

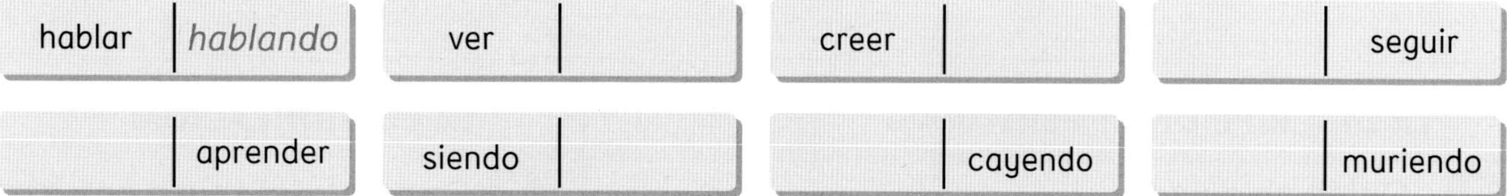

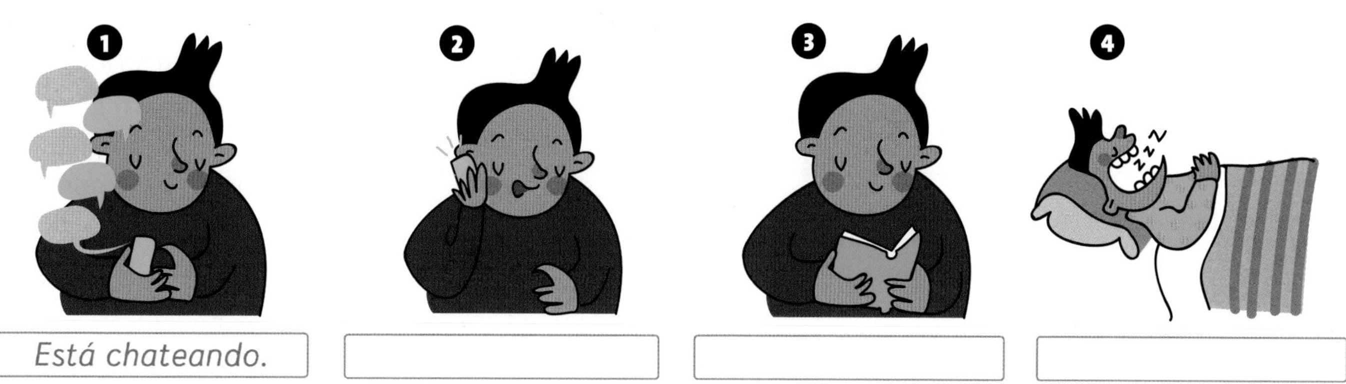

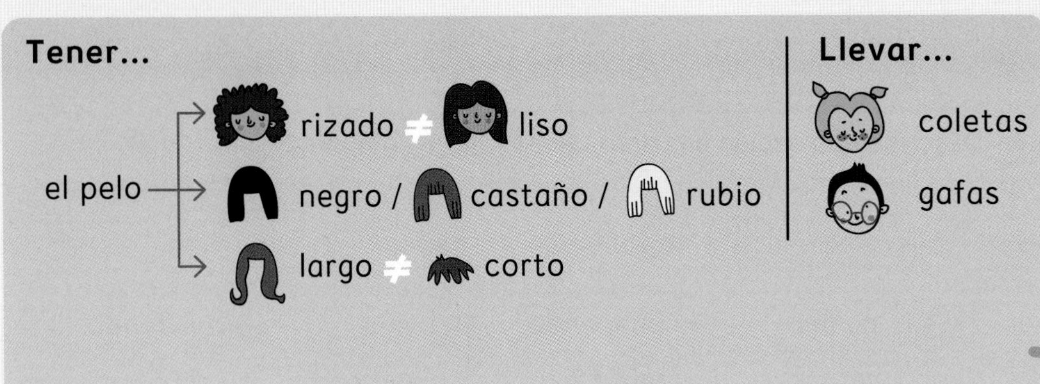

DESCRIBIR PERSONAS

TODO

HABLAR DEL PASADO

MARCADORES TEMPORALES

antes ≠ ahora

en
- la antigüedad
- la época de...
- 1800 / 1940...
- los años 60 / 80...
- el siglo...
- la actualidad

a principios del siglo XIX / los años 20...
a finales del siglo XIX / los años 20...

LA DESCRIPCIÓN DE PERSONAS

1 **¿Quién es quién?**

a. Lleva gafas y tiene el pelo negro y rizado. 1

b. Lleva coletas y tiene el pelo liso. ☐

c. Lleva coletas y tiene el pelo negro y rizado. ☐

d. Lleva gafas y tiene el pelo negro. ☐

LA COMUNICACIÓN

2 Completa **el texto con estas palabras.**

ordenadores | libros | pergaminos

En la antigüedad, escribían en .... En el siglo XVI ya usaban .... parecidos a los que tenemos hoy. En la actualidad, tenemos ...., móviles y tabletas.

APARATOS Y OBJETOS

el libro

el ordenador

el teléfono (fijo)

el (teléfono) móvil

el televisor = la televisión

la tableta

los periódicos

¡EN ESPAÑOL DE AMÉRICA SE DICE MÁS EL COMPUTADOR O LA COMPUTADORA Y EL CELULAR!

MEDIOS

la televisión

internet

la radio

actualizar el perfil

publicar en redes sociales

agregar contactos

CAMBIA

LA COMUNICACIÓN

LA INFANCIA

LA ESCUELA

el / la alumno/a

el / la maestro/a

la educación obligatoria

aprender (a)

enseñar (a)

ir a la escuela

saber leer y escribir

JUGAR A...

las canicas

la rayuela

juegos de mesa

escondite

videojuegos

JUGAR CON...

un osito de peluche

muñecas

la peonza

la cometa

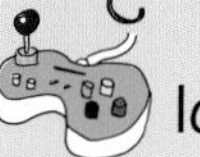

la consola

LOS JUGUETES Y LOS JUEGOS

3 ¡Adivina **de qué hablan!**
Luego, inventa **una adivinanza para tu compañero/a.**

a. Yo jugaba mucho con .... en la playa. Me encantaba correr y verla volar.

b. A mí me encantaba jugar al .... Siempre me metía dentro del armario y no me encontraban.

c. Yo solo jugaba a .... Y mis padres me decían: "Siempre estás en el ordenador, tienes que salir al aire libre".

4 ¡Crea tu propio mapa mental! **Personaliza este mapa: piensa en cómo eras, a qué jugabas y qué hacías cuando eras pequeño/a. Busca las palabras que necesites y añádelas.**

https://www.laventana.rep

LA VENTANA

~ PERIÓDICO DIGITAL ~

En esta edición hablamos de un pueblo originario de Chile y de los cambios que ha vivido.

UN PUEBLO MUY VALIENTE

Durante su historia, el pueblo mapuche ha resistido a varias invasiones.

- En el siglo XV, los incas intentan invadir su territorio, pero los mapuches se defienden.
- Poco después, los españoles conquistan el imperio inca y llegan a la Araucanía, donde vivían los mapuches.
- En los tres siglos siguientes hay varias guerras entre los mapuches y los españoles, pero los españoles no consiguen ganarlas.

↑ En el parque nacional de Conguillío, en la Araucanía, viven varias comunidades mapuches.

↑ El coronel chileno Cornelio Saavedra negocia con jefes mapuches en 1869 (dibujo de Manuel Olascoaga).

En el siglo XIX, Chile se independiza de España y crea un plan para conquistar el territorio mapuche. Esta vez, los mapuches no consiguen resistir y pasan a formar parte de Chile.

Actualmente, los mapuches viven en algunos lugares del sur de Chile y de Argentina, y luchan por recuperar los territorios de sus antepasados.

Líderes mapuches se reúnen para reivindicar sus derechos (Lumaco, Chile, 2010)

CHILE, DEL DESIERTO AL HIELO

VÍDEO

DVD 4

Conoce a nuestro rival: Chile
Selección Nacional de México (2016)

1 Lee el texto. ¿Qué países o imperios no han intentado invadir a los mapuches?

a. Los incas.

b. Los ingleses.

c. Los chilenos.

d. Los españoles.

2 ¿Quiénes lo consiguen finalmente?

3 ¿Qué quieren los mapuches en la actualidad?

4 Mira el vídeo y responde a las preguntas.

a. ¿Qué dice de la capital de Chile, Santiago?

b. Di una cosa que se come en Chile.

c. Di el nombre de un/a escritor/a o poeta chileno/a.

¡Eres periodista!

Vas a investigar cómo era la vida en tu ciudad o pueblo hace 50 años.

1. Busca a una persona mayor para entrevistarla. Pídele detalles sobre:
   - las cosas que no existían,
   - las que han desaparecido,
   - lo que no ha cambiado.
2. Busca más información en internet.
3. Crea un pequeño reportaje con imágenes o dibujos para ilustrarlo.

Educación para la igualdad de género

REGALA IGUALDAD

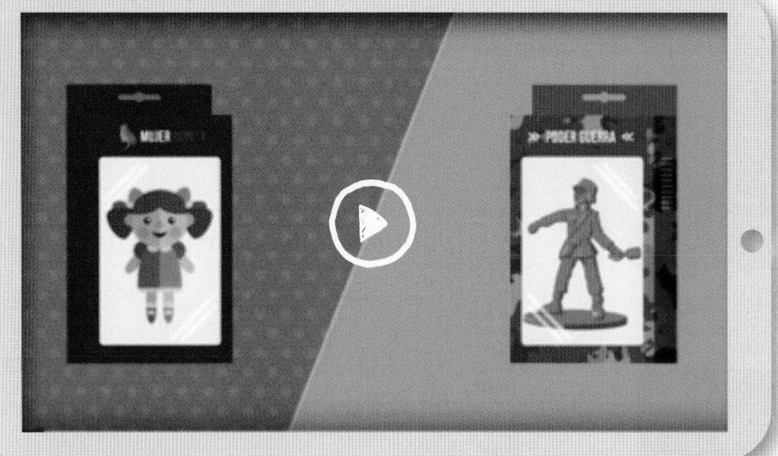

El Ministerio de la Mujer y de la Equidad de Género de Chile ha realizado esta campaña para favorecer la igualdad entre hombres y mujeres.

→ *Regala igualdad*, Ministerio de la Mujer y de la Equidad de Género, Gobierno de Chile (2016)

VÍDEO

DVD 5

1 Reflexiona.

a. ¿A qué jugabas cuando eras pequeño/a? ¿Tus juguetes eran diferentes a los de tus hermanos o vecinos?

b. ¿Crees que hay juguetes que son propios de niños y otros que son propios de niñas? ¿Por qué?

2 Mira **el vídeo y** responde.

a. ¿Cuál es el objetivo de la campaña?

b. ¿Qué recomiendan a la hora de comprar regalos para niños y niñas? Puedes utilizar estas palabras u otras.

juguetes colectivos | experiencias | roles predeterminados | variedad de colores | actividades para fomentar la imaginación

3 Opina. **¿Crees que hay juguetes que favorecen la desigualdad? ¿Por qué? ¿Te parecen útiles estas campañas?**

4 Actúa. **¿Conoces alguna otra campaña para favorecer la igualdad entre hombres y mujeres? Explícale a un/a compañero/a en qué consiste.**

Taller 1 • LECCIÓN 1

¡QUÉ CAMBIOS!

Alternativa digital
Cread una presentación digital.

Nos preparamos

1. Vas a realizar un **póster** de cómo eras de pequeño/a. Busca y selecciona **fotos de tu infancia**.

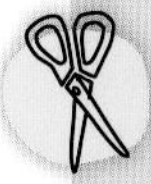

Lo creamos

2. Escribe **una o más frases para cada foto**. Habla del físico y del carácter, y también de tus canciones, juguetes y juegos preferidos...
   → Ten en cuenta la actividad 3 de la p. 52.

Lo presentamos

3. Exponed todos los pósteres en la clase y **elegid** cuál os parece más bonito y más original.

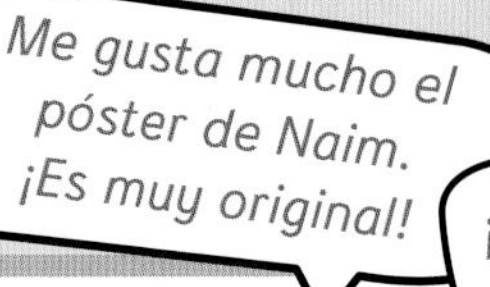

Taller 2 • LECCIÓN 2

LA ESCUELA DE ANTES

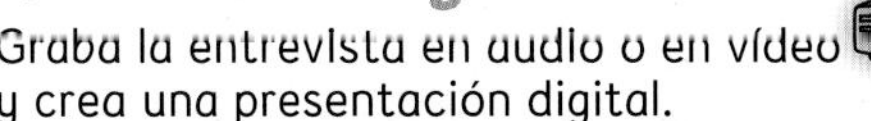

Alternativa digital
Graba la entrevista en audio o en vídeo y crea una presentación digital.

Nos preparamos

1. Vas a realizar **un cartel** sobre la escuela antes y ahora. Pregunta **a tus padres y abuelos** cómo era **la escuela** en su época: asignaturas, material escolar, juegos en el recreo, deberes, notas...

Lo creamos

2. ¿Qué cosas ya no hacemos o ya no tenemos? ¿Qué hacemos o tenemos todavía? Escribe frases para **comparar sus respuestas (antes) con tu experiencia (ahora)**.

Lo presentamos

3. **Ilustra** las frases con fotos o dibujos. **Presenta tu cartel** a la clase. Explica tus conclusiones.

Mi abuelo utilizaba pluma y tinta. Nosotros ahora tenemos bolígrafos y ordenadores.

Taller 3 • LECCIÓN 3

LOS MEDIOS EVOLUCIONAN

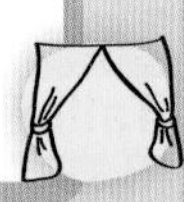

Alternativa no digital
Haced un póster y presentadlo en clase.

Nos preparamos

1. En grupos, vais a hacer una **presentación digital** sobre **una** de estas **actividades** u otra:
   - leer novelas
   - ver películas
   - hablar con los amigos
   - informarse sobre la actualidad
   - dar noticias cuando estás lejos
   - escribir trabajos

Lo creamos

2. **Comparad** cómo era esta actividad **antiguamente** y cómo es **ahora**. **Escribid** varias frases y buscad **imágenes** para ilustrarlas.

Lo presentamos

3. **Haced** vuestras presentaciones. ¿**Cuál** es la actividad que **ha cambiado más**?

UNIDAD 4
Jóvenes extraordinarios

Barcelona, vista desde el parque Güell

LECCIÓN 1

Hablo de... la vida y de la obra de un artista.

- La biografía
- Las profesiones artísticas
- La duración (I)
- El pretérito indefinido

Taller de lengua 1 Creo la línea del tiempo de la vida de un personaje famoso.

LECCIÓN 2

Hablo de... la infancia y de la adolescencia de dos deportistas.

- La vida deportiva
- Marcadores temporales
- **A** + CD de persona

Taller de lengua 2 Escribimos la biografía de una persona que admiramos.

LECCIÓN 3

Reflexiono sobre... la personalidad, el talento y la realización de los sueños.

- Talentos y personalidad
- Los ordinales
- La duración (II)

Taller de lengua 3 Hago una entrevista a un/a compañero/a.

LA VENTANA
PERIÓDICO DIGITAL

Hablamos de una corriente artística catalana conocida en todo el mundo.

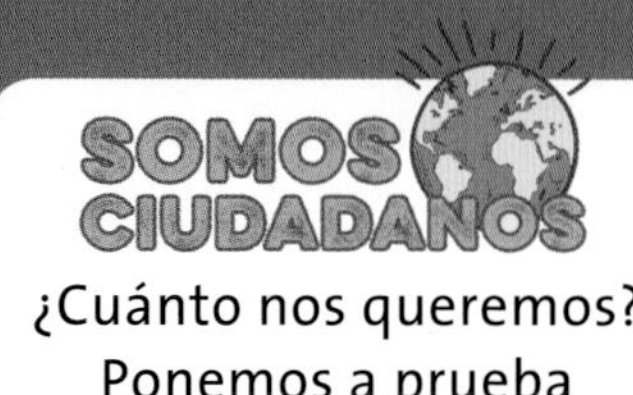

¿Cuánto nos queremos? Ponemos a prueba nuestra autoestima.

En esta unidad nos habla Marc desde Barcelona (España).

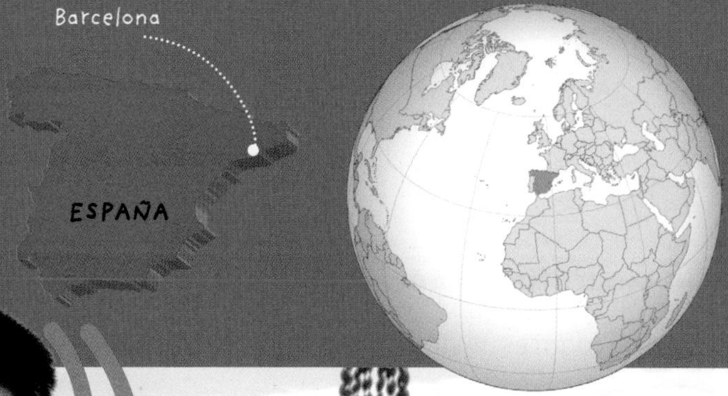

Barcelona

ESPAÑA

Dácil
¡Marc Márquez ha ganado el campeonato del mundo! 19:35

Marc
¡Síííí! ¡Es el mejor! 19:39

Marco Antonio
¿Otro Marc? ¿Quién es? 19:40

Marc
Un corredor de motos catalán. Empezó a montar en moto a los cuatro años... 19:41

Dácil
Y además es superguapo y supersimpático. 19:43

Dácil 
19:44

¡EN MARCHA!

1 Lee los mensajes del chat. ¿Quién es Marc Márquez? En parejas, comentad qué otros deportistas españoles conocéis.

pista 12

2 Escucha la entrevista a Marc. Completa la información sobre estos tres deportistas.

HERMANOS GASOL (MARC Y PAU)

- Deporte: ....
- En .... ganaron la medalla de plata en los Juegos Olímpicos de Londres.

MIREIA BELMONTE

- Deporte: ....
- En .... ganó su primera medalla de oro en unos Juegos Olímpicos.

Antoni Gaudí (1878)

¿SABES QUE...?

Barcelona es la capital de Cataluña. En esa ciudad han vivido personalidades como Antoni Gaudí, Salvador Dalí, Joan Miró, Lionel Messi o Shakira.

UN JOVEN REBELDE

1 Lee la biografía de Salvador Dalí y responde.

Cuad. p. 46

a. ¿En qué lugares vivió? ....

....

b. ¿A qué corriente artística perteneció? ....

....

c. Como artista, ¿qué hizo además de pintar? ....

....

Dalí

Nació en Figueras (Cataluña) ***en 1904***. Empezó a pintar con solo 12 años.

De 1922 a 1926 estudió en la Real Academia de Bellas Artes de Madrid. Lo expulsaron por insolencia.

En 1927 viajó a París y empezó a pintar obras surrealistas. Creó un estilo propio con algunos elementos típicos como hormigas, huevos o elefantes.

En 1929 conoció a su gran amor, Gala. Vivieron juntos durante más de 50 años.

En 1940 se trasladó a EE. UU., donde colaboró con varios directores de cine (como Walt Disney), escribió una novela y llegó a ser uno de los artistas más famosos del mundo.

En 1948 volvió a Cataluña. Creó varios diseños publicitarios, como el logo de Chupa Chups.

En 1970 se inauguró el Teatro-Museo Dalí en Figueras. Dalí participó activamente en su creación.

Murió ***en 1989*** a los 84 años.

2 Elige dos frases de la biografía de Dalí. Cópialas en tu cuaderno y tradúcelas a tu lengua. ¿Qué tiempo verbal has utilizado?

3 ¿Y TÚ? Escribe en tu cuaderno cuatro frases sobre momentos importantes de tu vida.

nací | empecé a | nació | fui a | mi familia se trasladó a | viajé a

Nací en el año 2006.

MI GRAMÁTICA

LA DURACIÓN (I)

De 1922 **a** 1926 estudió Bellas Artes.

Vivieron juntos **durante** 50 años.

....

A los / con 15 años

→ Gramática, p. 78
→ Cuaderno, p. 48

MI GRAMÁTICA

EL PRETÉRITO INDEFINIDO

PINTAR	
(yo)	pinté
(él / ella)	pintó
(ellos / ellas)	pintaron
NACER	
(yo)	nací
(él / ella)	nació
(ellos / ellas)	nacieron
VIVIR	
(yo)	viví
(él / ella)	vivió
(ellos / ellas)	vivieron

→ Gramática, p. 76
→ Cuaderno, p. 48, 49

MIS PALABRAS

nacer
empezar a
estudiar
viajar (a)
trasladarse a
conocer a
volver (a)

→ Palabras, p. 81
→ Cuaderno, p. 47, 49

UN ARTISTA COMPLETO

1 Observa estas obras.
¿Cuál te parece más bonita? ¿Y más original?

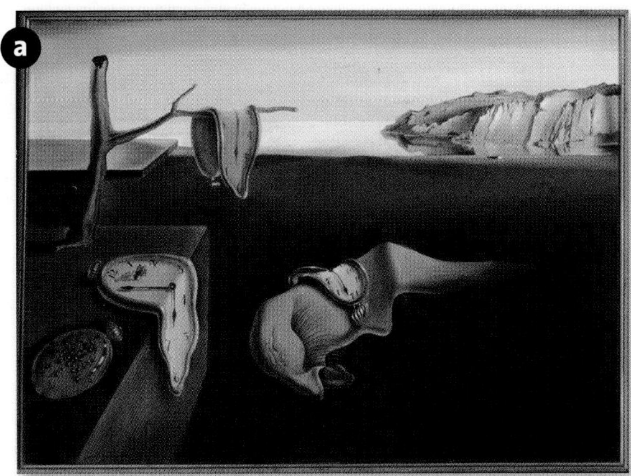

a

↑ *La persistencia de la memoria*, Fundació Gala-Salvador Dalí

b

↑ *La Venus de Milo con cajones*, Fundació Gala-Salvador Dalí

c

↑ *Teléfono-langosta*, Tate Modern, Fundació Gala-Salvador Dalí

pista 13

2 Escucha el programa de radio y completa esta tabla.

	TIPO DE OBRA	AÑO	MENSAJE (PALABRAS CLAVE)
a.	*cuadro*		
b.			
c.			

pista 14

3 Escucha la segunda parte del programa.
Completa estas frases.

1. Dalí fue *amigo de* ....
2. Trabajó en ....
3. Hizo también ....
4. Dijo ....
5. Colaboró con varios .... como Walt Disney.

MIS PALABRAS

el cuadro
la escultura
el cajón
el reloj

el / la pintor/a
el / la escultor/a
el / la escritor/a
el / la director/a de cine

→ Palabras, p. 80
→ Cuaderno, p. 47

MI GRAMÁTICA

EL PRETÉRITO INDEFINIDO

IR / SER

(yo)	**fui**
(él / ella)	**fue**
(ellos / ellas)	**fueron**

HACER

(yo)	**hice**
(él / ella)	**hizo**
(ellos / ellas)	**hicieron**

→ Gramática, p. 76
→ Cuaderno, p. 48, 49

Taller de lengua 1
CREO UNA LÍNEA DEL TIEMPO → p. 85

RECUERDOS DE JUVENTUD

1 Lee **este artículo sobre Luis Suárez.**
Prepara **preguntas para tu compañero/a y** házselas.

Cuad. p. 50

- *¿Cuándo conoció a su mujer?*
- *A los 15 años.*

Una historia de amor y de fútbol

Luis Suárez nació en 1987 en Salto, Uruguay, en una familia muy humilde. Con 13 años, empezó a jugar en la 7.ª división de fútbol uruguayo y con 18 jugó su primer partido en la 1.ª división.

A los 15 años, Luis conoció a Sofía. Fue un amor a primera vista y los dos se volvieron inseparables. Durante los primeros años, Sofía ayudó mucho a Luis.

Dos años más tarde, Sofía se trasladó a vivir a Barcelona con su familia. “El día antes de partir, lloramos toda la noche”. A partir de ese momento, Luis quiso ir a jugar en un equipo europeo, a ser posible, en el Fútbol Club Barcelona, para estar cerca de Sofía.

En 2006 consiguió entrar en un equipo de Holanda. Allí, con 19 años, se casó con Sofía. Ocho años más tarde lo fichó el Barça, el equipo de sus sueños. Suárez vive ahora en Barcelona con su mujer y sus hijos.

¡ESTE ES EL CAMP NOU!

¿SABES QUE...?
El F.C. Barcelona, también conocido como Barça, es uno de los equipos de fútbol más famosos del mundo. Cuenta con más de 150 000 socios y tiene aficionados en todo el planeta.

MI GRAMÁTICA

EL PRETÉRITO INDEFINIDO

CONSEGUIR → conseguí, conseguiste, consiguió

QUERER → quise, quisiste, quiso

→ Gramática, p. 76
→ Cuaderno, p. 52, 53

2 Fíjate **en estas frases.**
¿Por qué crees que en la primera hay una a?

a. Luis Suárez **conoció a** Sofía a los 15 años.

b. Luis Suárez **conoció** Europa a los 19 años.

3 **En parejas,** completad **estas frases.** Fijaos **en las imágenes.**

a. Marc ve ....

b. Marc ve .... en la calle.

c. Marco Antonio visita ....

d. Marco Antonio visita ....

e. Dácil admira ....

f. Dácil admira ....

MI GRAMÁTICA

A + CD DE PERSONA

Conoció a Sofía con 15 años.

Sofía **ayudó** mucho **a** Luis.

→ Gramática, p. 78
→ Cuaderno, p. 53

UNA DEPORTISTA EXTRAORDINARIA

1 Mira el vídeo sobre la nadadora Sarai Gascón y responde.

Cuad. p. 50

VÍDEO

DVD 6

↑ *De un sueño a realidad. Sarai Gascón,* Seguros Santa Lucía (2016)

a. ¿Qué día cambió la vida de Sarai? ¿Qué pasó?

....

....

b. ¿Cómo es el carácter de Sarai, según sus padres?

....

....

2 Mira de nuevo el vídeo y lee la cita de Sarai. ¿Crees que es una joven extraordinaria? Justifica tu respuesta.

Yo creo que..., porque a los ... años...

....

....

....

....

....

> **"Si luchas por lo que quieres, nada te puede parar".**
>
> Sarai Gascón

MIS PALABRAS

el / la deportista
el / la entrenador/a
el / la campeón/ona

ganar una medalla / competición

estar orgulloso/a (**de**)
apoyar (**a** alguien)

→ Palabras, p. **80**
→ Cuaderno, p. **52**

MI GRAMÁTICA

EL PRETÉRITO INDEFINIDO

DECIR → dije, dijiste, dijo
DAR → di, diste, dio
TENER → tuve, tuviste, tuvo
SABER → supe, supiste, supo

→ Gramática, p. **76**
→ Cuaderno, p. **52, 53**

COMPARTIMOS EL MUNDO

Actualmente, en muchos lugares del mundo, las personas con discapacidades físicas e intelectuales pueden llevar vidas cada vez más parecidas a las de las personas sin discapacidades.

¿En qué se diferencia la vida de Sarai de la tuya? ¿En qué no? Busca ejemplos en el vídeo.

EL JUEGO DE LOS PERSONAJES HISTÓRICOS. Eres un personaje histórico. Escribe tres frases sobre ti (de la más misteriosa a la más conocida) y léelas a tus compañeros, que deben adivinar qué personaje eres.

1. *Nací en Génova.*
2. *Conocí a los Reyes Católicos, Isabel y Fernando.*
3. *Llegué a América en 1492.*

¡Cristóbal Colón!

Taller de lengua 2

CREAMOS UN LIBRO DE BIOGRAFÍAS → p. 85

TEST DE PERSONALIDAD

1 Haz este cuestionario.
Compara tus respuestas con las de un/a compañero/a.

Cuad. p. 54

¿Estás preparado/a para conseguir tu sueño?

1 La primera vez que te propusieron comer algo muy picante...
- [ ] **a.** no lo comiste. ¡No quieres morir!
- [ ] **b.** lo comiste. ¡Te encantan las cosas nuevas!
- [ ] **c.** no te atreviste a decir que no.

2 La última vez que te felicitó un/a profesor/a...
- [ ] **a.** no respondiste nada.
- [ ] **b.** te sentiste muy orgulloso/a, como siempre.
- [ ] **c.** ¿Te felicitó un/a profe? ¡No es posible!

3 La última vez que viste una película de terror...
- [ ] **a.** nunca ves pelis de terror, te dan miedo.
- [ ] **b.** ¡viste otra después porque te encantó!
- [ ] **c.** no dormiste en toda la noche.

4 El primer día que fuiste a Primaria...
- [ ] **a.** estuviste todo el día llorando.
- [ ] **b.** te hiciste amigo/a de todo el mundo.
- [ ] **c.** te dio un poco de miedo el / la maestro/a.

5 La última vez que te enfadaste con un/a amigo/a...
- [ ] **a.** lo comentaste con otro/a amigo/a.
- [ ] **b.** hablaste con él o ella y solucionaste el problema.
- [ ] **c.** no hablaste con nadie y te sentiste muy mal.

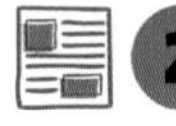

2 Contad vuestra puntuación.
Leed el comentario que os corresponde.
¿A qué personaje os parecéis?

Mayoría de a: Quizá eres un poco tímido/a, pero eres una persona sensible.
Si te atreves a hacer lo que te gusta, puedes llegar a ser como Salvador Dalí: un genio.

Mayoría de b: Eres una persona sociable y decidida. Para ti las situaciones nuevas no son un problema. Puedes ser como Sarai Gascón: un campeón o una campeona.

Mayoría de c: No confías suficientemente en ti. Pero si eres optimista y trabajas, puedes hacer algo grande, como Luis Suárez.

3 ¿Y TÚ? ¿Estás de acuerdo con el resultado?
Añade o cambia lo necesario para definir tu carácter.

Es verdad que soy un poco tímido/a, pero...

4 Un/a compañero/a anota los resultados de la clase.
¿Cuántos Dalí hay? ¿Y Gascón? ¿Y Suárez?

MIS PALABRAS

atreverse (a)
felicitar (a alguien)
enfadarse (con alguien)

MI GRAMÁTICA

LOS ORDINALES
El **primer** día que
La **primera** vez que
El **primero** de la clase

→ Gramática, p. 79
→ Cuaderno, p. 55, 56

MI GRAMÁTICA

EL PRETÉRITO INDEFINIDO
ESTAR → **estuve, estuviste, estuvo**

→ Gramática, p. 76

SUEÑOS HECHOS REALIDAD

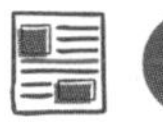

1 **Estas son dos jóvenes españolas que han conseguido sus sueños. Lee los textos e identifica cuál de ellas ha dicho cada una de las frases.**

Cuad. p. 54

GISELA PULIDO

Nació en 1994 en Premià de Mar (Cataluña) y se dedica al kitesurf desde los 8 años.

Qué cambió su vida. El día que entró en el mar con una cometa y un representante de deportistas la vio. Gracias a él, consiguió su primer patrocinador y empezó a prepararse para competir.

Algo que recuerda con emoción. Con 10 años ganó un campeonato mundial de kitesurf. Desde entonces, ya ha ganado diez.

Un momento difícil. En 2004 se fue a vivir a Tarifa con su padre para poder entrenar más a menudo. Separarse de su madre y cambiar de colegio no fue fácil.

ANNA CASTILLO

Nació en Barcelona en 1993, pero se fue a vivir a Madrid cuando tenía 19 años.

Qué cambió su vida. En 2013 Javier Calvo y Javier Ambrossio la eligieron para ser una de las actrices de la obra de teatro musical *La llamada*. Años después, en 2017, hizo una película basada en esa obra que tuvo muchísimo éxito.

Algo que recuerda con emoción. El Goya que ganó en 2017 por su papel en la película *El Olivo*, de Icíar Bollaín.

Un momento difícil. Cuando se fue a Madrid, tuvo que alejarse de su novio y de su familia.

a. "Vine en mitad del primer mundial para empezar aquí las clases. Sufrí un poco de *bullying*. Lo pasé mal, pero aprendí".

b. "De pequeña le pregunté a mi madre: '¿Puedo hacer películas?'. Y me dijo: 'Claro'".

c. "Cuando llegué aquí, me fui a vivir sola. Me hice mayor de golpe".

d. "Mucha gente piensa que tengo una vida increíble, diez veces campeona, viajes..., pero no saben el esfuerzo que hay detrás".

MIS PALABRAS

cambiar de casa / colegio

irse a vivir a

separarse de

MI GRAMÁTICA

LA DURACIÓN (II)

Desde los 8 años / 2002 hace kitesurf.

Desde entonces / ese momento...

Hace 3 años se fue a vivir a Madrid.

Hace 3 años **que** vive en Madrid.

→ Gramática, p. 78

→ Cuaderno, p. 56

2 **¿Y TÚ? Completa esta ficha y comenta tus respuestas con un/a compañero/a.**

a. Algo o alguien que cambió tu vida:

....

b. La primera vez qui hiciste algo que te encanta:

....

c. Alguien que te ayudó a conseguir algo:

....

d. Un momento que recuerdas con emoción:

....

Taller de lengua 3

NUESTROS SUEÑOS → p. 85

EL PRETÉRITO INDEFINIDO

Formación

PINTAR	NACER	VIVIR
pinté	nací	viví
pintaste	naciste	viviste
pintó	nació	vivió
pintamos	nacimos	vivimos
pintasteis	nacisteis	vivisteis
pintaron	nacieron	vivieron

La **sílaba tónica** de los verbos regulares se encuentra en la terminación.

DAR
di
diste
dio
dimos
disteis
dieron

El verbo **dar** toma las terminaciones de los verbos en **-er** e **-ir**, pero sin tilde.

CONSEGUIR	MORIR
conseguí	morí
conseguiste	moriste
consiguió	murió
conseguimos	morimos
conseguisteis	moristeis
consiguieron	murieron

Algunos verbos muy frecuentes tienen una raíz irregular en el pretérito indefinido, pero sus terminaciones son las mismas: **-e**, **-iste**, **-o**, **-imos**, **-isteis**, **-ieron**.

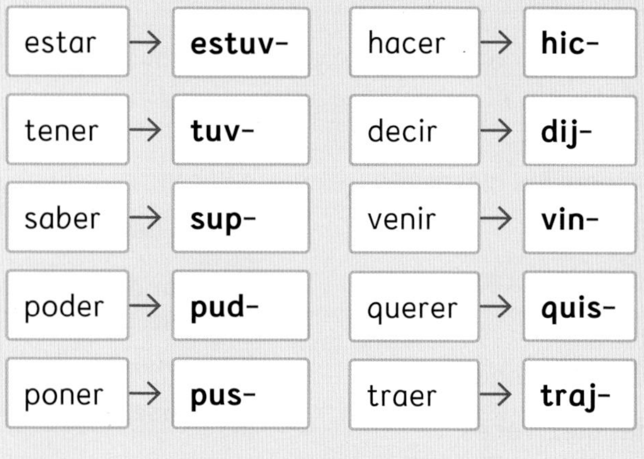

estar →	**estuv-**	hacer →	**hic-**
tener →	**tuv-**	decir →	**dij-**
saber →	**sup-**	venir →	**vin-**
poder →	**pud-**	querer →	**quis-**
poner →	**pus-**	traer →	**traj-**

ESTAR	HACER	DECIR
estuve	hice	dije
estuviste	hiciste	dijiste
estuvo	hizo	dijo
estuvimos	hicimos	dijimos
estuvistes	hicisteis	dijisteis
estuvieron	hicieron	dijeron

La 3.ª persona del plural de **decir** es diferente: dijeron.

SER/IR
fui
fuiste
fue
fuimos
fuisteis
fueron

El pretérito indefinido de **ser** e **ir** es idéntico.

Uso

Usamos el pretérito indefinido para hablar de acciones pasadas terminadas.

A los 23 años, Dalí viajó a París.

Ayer estuvimos toda la tarde en casa de Dácil.

El año pasado hice un curso de surf y fue increíble.

¿Por qué no quisiste venir a la fiesta de Marc el sábado?

EL PRETÉRITO INDEFINIDO

Marcadores temporales

a los ... años	→ *Mi hermana empezó a hablar a los 2 años.*
con ... años	→ *Con 15 años, Luis Suárez conoció a su novia Sofía.*
en 1998...	→ *En 1998 mis padres se fueron a vivir juntos.*
ayer	→ *Ayer fui a la piscina.*
la semana pasada	→ *La semana pasada no tuvimos clase.*
el año pasado	→ *El año pasado empecé a ir a clases de piano.*

1 Escribe **estos verbos en pretérito indefinido, en la persona indicada.**

a. viajar (nosotros/as) → *viajamos*
b. nacer (tú) → ....
c. estudiar (él / ella) → ....
d. conocer (yo) → ....
e. llorar (nosotros/as) → ....
f. participar (ellos/as) → ....

2 Completa **las conversaciones con estos verbos en pretérito indefinido.**

hacer | ir | estar | empezar | conseguir | volver

a. • ¿Cuándo os .... a vivir a Madrid?
  ○ En 2010. Allí (NOSOTROS) .... dos años y luego .... a Roma.

b. • Clara Lago .... muy joven a actuar, ¿no?
  ○ Sí, ... su primera película a los 10 años.

c. • ¿............ llegar al cine el sábado?
  ○ Sí, al final llegué justo a tiempo.

3 Completa **el texto con la forma adecuada de los verbos.**

tocar | ser | estar | cantar | preparar | comprar | pasar

La fiesta de Inés *fue* un éxito. Yo .... una tarta de chocolate supergrande y los demás .... comida y bebidas en el supermercado. Pedro .... varias canciones con la guitarra y Raquel, que tiene una voz preciosa, ... con él. .... toda la tarde en su casa. ¡Lo .... genial!

4 Completa **las frases con información sobre ti usando distintos marcadores.**

a. *Con...* .... empecé a andar.
b. .... entré en primaria.
c. .... vi una película.
d. .... me cambié de colegio.

LA DURACIÓN

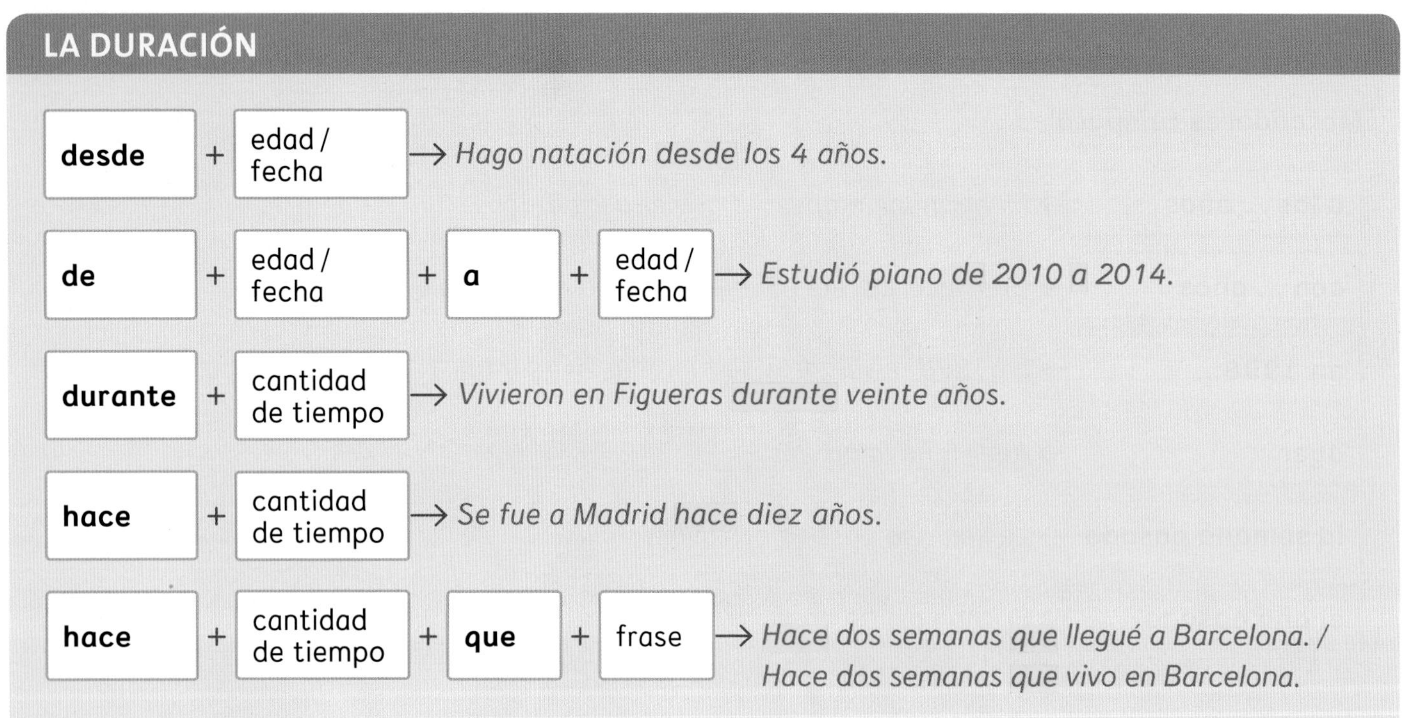

desde	+	edad / fecha						→ *Hago natación desde los 4 años.*
de	+	edad / fecha	+	**a**	+	edad / fecha		→ *Estudió piano de 2010 a 2014.*
durante	+	cantidad de tiempo						→ *Vivieron en Figueras durante veinte años.*
hace	+	cantidad de tiempo						→ *Se fue a Madrid hace diez años.*
hace	+	cantidad de tiempo	+	**que**	+	frase		→ *Hace dos semanas que llegué a Barcelona. / Hace dos semanas que vivo en Barcelona.*

5 Completa **el texto.**

hace | desde (2) | durante | hace ... que | de ... a

Manolito Pérez nació en Barcelona en 1985. Se dedica a la música .... los diez años. Fue a clases de guitarra y canto .... los 10 .... los 15 años y, luego .... muchos años practicó solo en su casa. .... seis años, empezó a tocar en un grupo de música rock llamado *Los Metálicos*. Cuatro años después, quiso continuar solo y se separó del grupo. .... ese momento, ha tenido mucho éxito. .... dos años .... vive en Hollywood y tiene un programa en la MTV.

LA PREPOSICIÓN **A** + CD DE PERSONA

Los complementos directos que hacen referencia a una persona llevan la preposición **a**.

¿Ves el coche? No sé dónde lo hemos dejado.

¿Ves a Laura? Hay demasiada gente aquí.

Dalí pintó 17 cuadros de su hermana.

Dalí pintó a su hermana en varios cuadros.

¡Ayer pisé un plátano y me caí!

Ayer pisé a mi profesor, ¡qué vergüenza!

6 ¿Con a o sin a?

Escoge la opción correcta.

a. ● Perdone, señora, ¿puedo ayudarla?
○ Pues... sí, estoy buscando → Mar Ruiz. ☐ / → a Mar Ruiz. ☒

b. ● Este verano voy a visitar → Barcelona. ☐ / → a Barcelona. ☐

c. ● Casi nunca escucho → Enrique Iglesias. ☐ / → a Enrique Iglesias. ☐
○ Yo, tampoco. En cambio, mi madre tiene todos sus discos.

d. ● No entiendo muy bien → el profesor. ☐ / → al profesor. ☐
○ Yo, tampoco. Habla muy rápido.

e. ● ¿Quieres ver → una película? ☐ / → a una película? ☐

f. ● ¿Quién ☐ / ¿A quién ☐ → has saludado?
○ Un amigo ☐ / A un amigo ☐ → de clase.

LOS ORDINALES

Masculino	Femenino
1.º → primero / primer	1.ª → primera
2.º → segundo	2.ª → segunda
3.º → tercero / tercer	3.ª → tercera
4.º → cuarto	4.ª → cuarta
5.º → quinto	5.ª → quinta
6.º → sexto	6.ª → sexta
7.º → séptimo	7.ª → séptima
8.º → octavo	8.ª → octava
9.º → noveno	9.ª → novena
10.º → décimo	10.ª → décima

Delante de un nombre masculino singular, se usan:
primer → *Sarai ganó su primer título a los 14 años.*
tercer → *El miércoles es el tercer día de la semana.*

7 Escribe los ordinales en letras.

a. Soy la 1.ª de la clase. → primera

b. Juan llegó el 3.º en la carrera. → ....

c. El Real Madrid ganó la 10.ª Liga de Campeones en 2014. → ....

d. El 7.º día de la semana es el domingo. → ....

8 Escoge la opción correcta.

a. Marc Márquez llegó el primer / (primero) otra vez.

b. Nunca olvidaré el primer / primero campeonato en el que participé.

c. Esta es la primer / primera medalla que gané.

d. Marzo es el tercer / tercero mes del año.

e. ● ¿En qué piso vives?
○ En el tercer / tercero.

JÓVENES

LOS ARTISTAS

el / la escultor/a

el / la pintor/a

el / la escritor/a

el / la director/a de cine

el actor / la actriz

el / la músico/a

el / la dibujante

el / la cantante

EL CARÁCTER

- sociable
- tímido/a
- sensible
- atrevido/a
- decidido/a
- inseguro/a
- optimista

LOS DEPORTISTAS

el / la deportista

el / la entrenador/a

el / la futbolista

el / la nadador/a

el / la atleta

el / la esquiador

LA SUPERACIÓN

- estar orgulloso/a de
- ayudar a alguien
- animar a alguien
- admirar a alguien
- acompañar a alguien
- confiar en
- luchar por
- apoyar a alguien
- felicitar a alguien

¡DE ORO, DE PLATA Y DE BRONCE!

la medalla

el campeón / la campeona

entrenar(se)

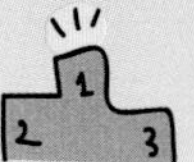

ganar

LAS PROFESIONES ARTÍSTICAS Y DEPORTIVAS

1 Relaciona **las imágenes con las palabras.**

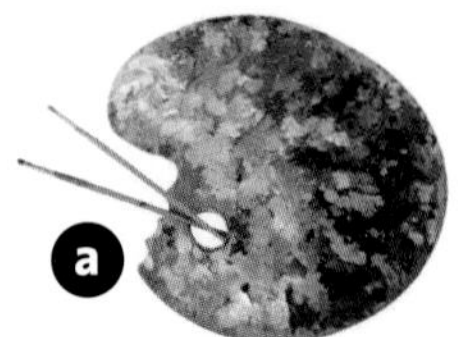
a

b

c

d

- nadador/a [ ]
- pintor/a [a]
- esquiador/a [ ]
- director/a de cine [ ]

LA VIDA

nacer

empezar a → estudiar / → trabajar

vivir

viajar

separarse (de)

cambiar de → casa / → colegio

trasladarse a

conocer a alguien

casarse (con)

morir

EL ARTE

pintar | participar
crear | inaugurar
colaborar | escribir

LA BIOGRAFÍA

EXTRAORDINARIOS

LOS SUEÑOS

DEPORTES DE EQUIPO

jugar un partido

un equipo de fútbol / baloncesto...

fichar a un/a jugador/a

los aficionados

1.ª / 2.ª... división

hacer realidad un sueño

conseguir un sueño

el trabajo / equipo de mis sueños

LA VIDA DEPORTIVA

2 Adivina **las palabras que corresponden a estas explicaciones.**

a. Piezas de metal que se dan en competiciones deportivas. → M ....

b. Lo contrario de perder. → G ....

c. Persona que gana en una competición (en femenino). → C ....

d. Prepararse para competir. → E ....

3 ¡Crea tu propio mapa mental! **Personaliza este mapa: piensa en tus propias experiencias y en las de personas que te importan, y añade las palabras que necesites.**

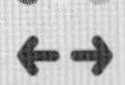

https://www.laventana.rep

LA VENTANA

~ PERIÓDICO DIGITAL ~

En este número hablamos de una corriente artística europea muy importante en Cataluña.

EL MODERNISMO CATALÁN

El modernismo (también conocido como *Art Nouveau, Modern Style* o *Jugendstil*) fue un movimiento artístico europeo muy importante de principios del siglo XX.

En Barcelona el modernismo coincidió con la industrialización. La ciudad se llenó de las obras de grandes arquitectos como Antoni Gaudí, Lluís Domènech i Montaner o Josep Puig i Cadafalch.

↑ El Palau de la Música Catalana, de Lluís Domènech i Montaner

← Chimeneas de la casa Milà (la Pedrera), de Antoni Gaudí

↑ Interior de la casa Batlló, de Antoni Gaudí

↑ La casa de les Punxes, de Josep Puig i Cadafalch

ANTONI GAUDÍ (1852–1926)

El arquitecto Antoni Gaudí es el máximo representante del modernismo catalán. De niño estuvo enfermo y por eso tuvo que pasar largas temporadas en el campo descansando. En 1870 empezó a estudiar arquitectura y desarrolló un estilo muy personal basado en la naturaleza. Sus obras más conocidas se encuentran en Barcelona: el parque Güell, la casa Batlló, la casa Milà (o la Pedrera) y la Sagrada Familia.

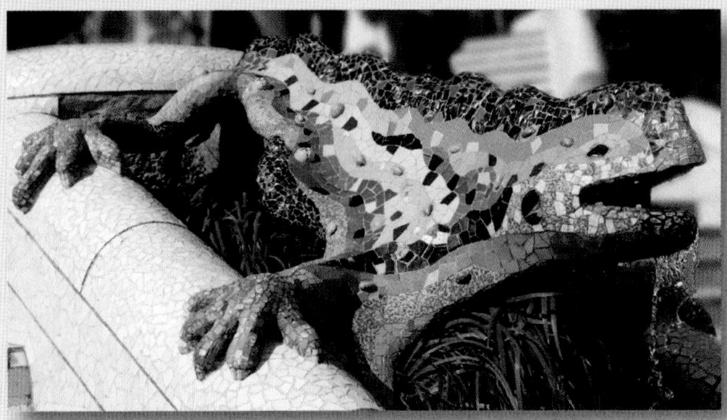

↑ El dragón de la escalera en el parque Güell (2016)

BARCELONA EN UN DÍA

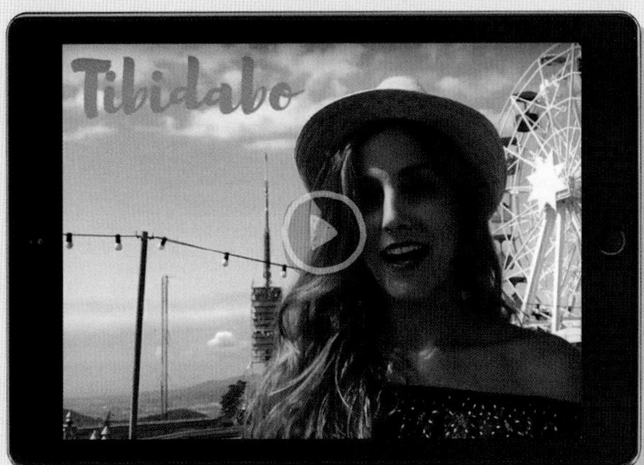

VÍDEO

DVD 7

Conocer Barcelona en un día, Rosa Virginia (2016) ↑

1 Lee **el texto sobre el modernismo. ¿En qué ciudad española hay muchas obras modernistas? ¿De qué época son?**

....

....

....

2 Mira **las fotos. ¿Cuál de las obras te gusta más? ¿Por qué?**

3 Lee **la biografía de Gaudí. ¿Qué tiene de especial su infancia? ¿Crees que influyó en su obra?**

....

....

....

4 Mira **el vídeo.**

a. ¿Qué monumentos y lugares de Barcelona aparecen en el vídeo?

....

....

....

b. ¿Desde qué lugar hay una buena vista de Barcelona?

....

c. ¿En qué calle hay muchas tiendas?

....

¡Eres periodista!

Investiga sobre uno de estos cuatro personajes: Federico García Lorca, Violeta Parra, Frida Kahlo o Julio Cortázar.

1. Busca información sobre su vida:
   - Dónde y cuándo nació.
   - Qué acontecimientos cambiaron su vida.
2. Busca información sobre su obra:
   - A qué se dedicó.
   - Qué creó.
   - Qué importancia tuvo su vida en su obra.

Educación emocional

¿CUÁNTO NOS QUEREMOS?

Autoestima: La autoestima es fundamental para enfrentarnos de forma adecuada a las situaciones que se nos presentan en la vida diaria. Por ejemplo, para llevar a cabo nuestros estudios con normalidad, necesitamos creer en nuestras capacidades, pero también es muy importante sentirnos contentos con nosotros mismos.
Nuestra autoestima influye también en la forma en la que aceptamos a los demás y en la que los demás nos aceptan.
A menudo, tendemos a subrayar lo que no nos gusta de nosotros mismos. Debemos aprender a valorarnos para poder valorar al resto.

↑ Adaptado de *Conocer, aprender, trabajar y vivir las emociones en Guipúz coa*. Gobierno del País Vasco, Diputación de Guipúzcoa (2008)

1 Reflexiona.

a. ¿Te gusta que hablen bien de ti? ¿O más bien te da vergüenza?

b. Si algún día estás contento/a contigo mismo/a, ¿las cosas te salen mejor o peor? ¿Por qué?

2 Lee **el artículo y** subraya **las frases en las que aparecen estas ideas.**

a. Estar contentos con nuestra imagen es positivo para nuestros resultados escolares.

b. Si queremos que otras personas nos valoren, tenemos que aprender a querernos.

3 Opina. **¿Crees que es posible mejorar la propia autoestima? ¿Cómo podemos lograrlo?**

4 Actúa. **Lee esta lista de frases.** Escoge **cinco que correspondan con la imagen que tienes de ti mismo/a. Puedes añadir otras.**

soy **agradable** | soy **optimista** | soy **independiente** | estoy **orgulloso/a** de mí | soy **listo/a** | me **respetan** | soy **buen/a amigo/a** | soy **generoso/a** | soy **de fiar** | soy **aplicado/a** | soy **interesante** | soy **alegre** | soy **ordenado/a** | soy **divertido/a** | me **esfuerzo** | soy **tranquilo/a** | me **quieren** | soy **guapo/a** | soy **empático/a**

Taller 1 • LECCIÓN 1

CREO UNA LÍNEA DEL TIEMPO

→ **Alternativa digital**
Utiliza un programa para hacer líneas del tiempo.

Nos preparamos

1 Vas a crear **una línea del tiempo**. Elige a un **personaje famoso**, busca dónde y cuándo nació y cuatro momentos clave de su vida.

Lo creamos

2 Elabora una **línea del tiempo** y escribe una frase con cada momento importante de la vida de tu personaje.

Lo presentamos

3 Colgad vuestros trabajos en el aula y haced una **votación** para elegir el más **bonito**, el más **interesante** y el más **divertido**.

1904 — NACIÓ EN FIGUERAS
1929 — CONOCIÓ A GALA
1940 — VIAJÓ A EE. UU.
1948 — VOLVIÓ A CATALUÑA

Taller 2 • LECCIÓN 2

CREAMOS UN LIBRO DE BIOGRAFÍAS

→ **Alternativa digital**
Cread un blog o una web.

Nos preparamos

1 Vais a crear **un libro de biografías**. En parejas, buscad información sobre la **infancia y adolescencia de un personaje** que admiráis.

Lo creamos

2 Redactad una **biografía** del personaje. Debéis hablar de...

- su infancia y adolescencia.
- una anécdota que cambió su vida.
- por qué os gusta este personaje.

Lo presentamos

3 Juntad todos vuestros textos y **encuadernadlos**. Cread un índice y una página con el nombre de todos los autores: ¡vosotros!

Taller 3 • LECCIÓN 3

NUESTROS SUEÑOS

→ **Alternativa digital**
Publicad las entrevistas en un blog o red social.

Nos preparamos

1 Vas a preparar **una entrevista**. Primero, **escribe** en una hoja de papel una afición o pasión que tienes y a la que te gustaría dedicarte. **Coge** el papel de un/a compañero/a y **prepara preguntas** para hacerle. Estas pueden ser algunas:

- ¿Desde cuándo tienes esa afición? ¿Cómo la descubriste?
- ¿Qué has hecho para aprender más o mejorar?
- ¿Has tenido que superar alguna dificultad?

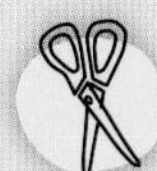

Lo creamos

2 **Hazle las preguntas** a tu compañero/a y **redacta** una entrevista con sus respuestas.

Lo presentamos

3 **Leed** las entrevistas. ¿Tenéis cosas en común con otro estudiante de la clase?

UNIDAD 5
Gente creativa

Plaza de la Constitución o del Zócalo en Ciudad de México

LECCIÓN 1

Hablo de... las cosas que tengo y describo los pasos para crear un objeto.

- Los materiales y los objetos
- Las instrucciones para hacer manualidades: **cortar**, **pegar**, **doblar**...
- **Poner / ponerse**

Taller de lengua 1 Creo un tutorial para fabricar un objeto.

LECCIÓN 2

Hablo de... la ropa, de la forma de vestir y de lo que expresa.

- La ropa (I)
- Formas de vestir
- **Llevar / llevarse**
- **Querer / necesitar** + infinitivo
- Los pronombres de CD y CI

Taller de lengua 2 Organizamos un desfile de moda.

LECCIÓN 3

Hablo de... la ropa y me desenvuelvo en una tienda.

- La ropa (II)
- Preguntas en una tienda
- Los demostrativos
- Los interrogativos

Taller de lengua 3 Representamos una escena en una tienda de ropa.

LA VENTANA
PERIÓDICO DIGITAL

Hablamos de distintas formas de artesanía mexicanas.

Conocemos a una diseñadora de moda con síndrome de Down.

En esta unidad nos habla Guadalupe desde Ciudad de México (México).

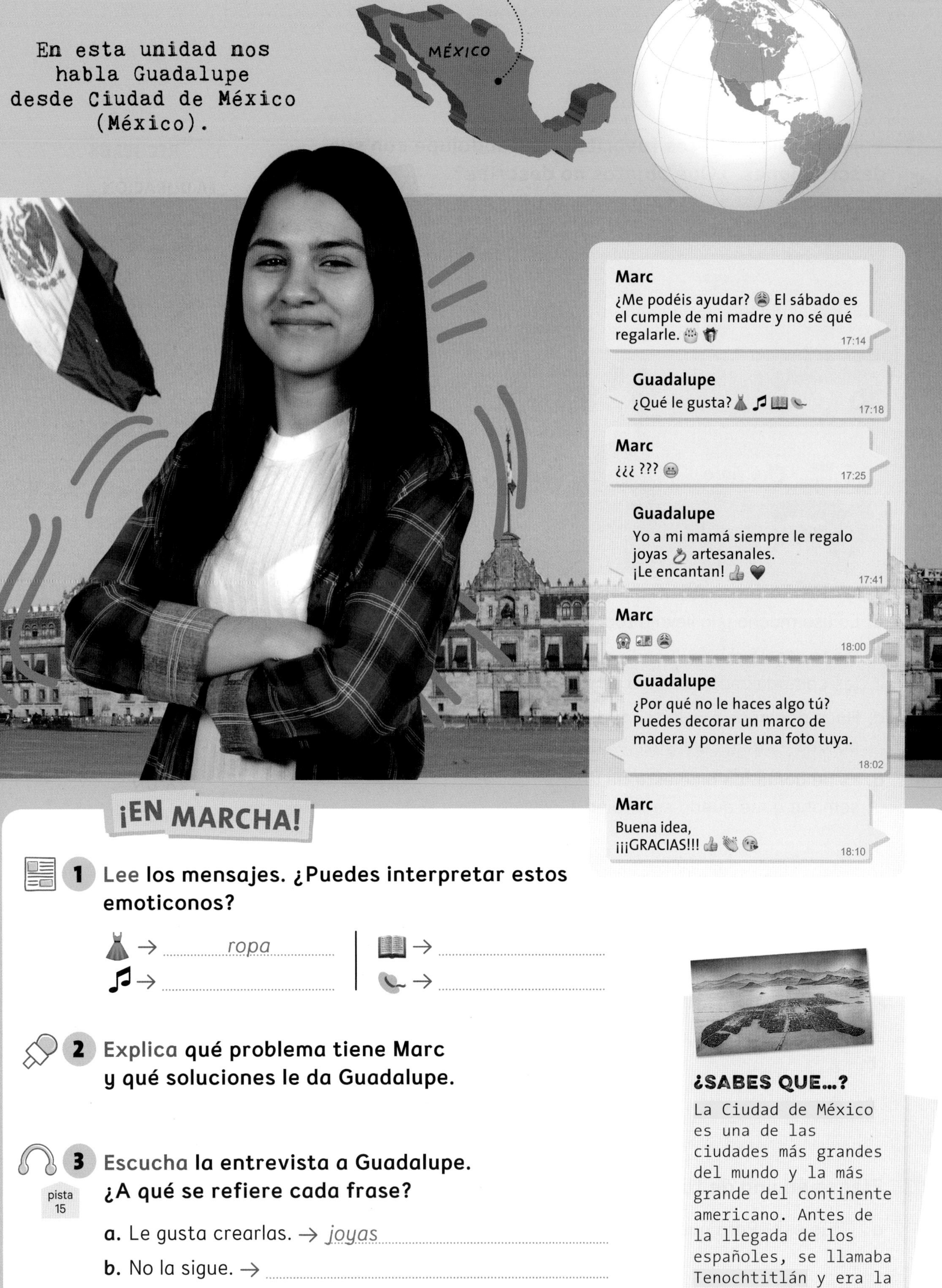

¡EN MARCHA!

1 Lee los mensajes. ¿Puedes interpretar estos emoticonos?

👗 → *ropa* | 📖 → ....

🎵 → .... | 👠 → ....

2 Explica qué problema tiene Marc y qué soluciones le da Guadalupe.

3 Escucha la entrevista a Guadalupe. ¿A qué se refiere cada frase? (pista 15)

a. Le gusta crearlas. → *joyas*

b. No la sigue. → ....

¿SABES QUE...?

La Ciudad de México es una de las ciudades más grandes del mundo y la más grande del continente americano. Antes de la llegada de los españoles, se llamaba Tenochtitlán y era la capital del imperio azteca.

MIS COSAS FAVORITAS

1 Relaciona **los objetos favoritos de Guadalupe con sus descripciones. ¿Qué objetos no describe?**

Cuad. p. 60

a. La uso mucho y la llevo a todas partes. [3]

b. Me lo regaló mi tía cuando cumplí 11 años, ¡es comodísimo! Lo tengo en mi cuarto. [ ]

c. Hace dos años que lo tengo y me encanta ponérmelo porque es muy calentito, es de lana. [ ]

d. Es de goma. La hice este fin de semana y me quedó superbién. [ ]

2 Escucha **a Guadalupe.** Completa **esta tabla con información sobre los tres objetos que no se describen en la actividad 1.**

pista 16

	QUÉ ES	QUÉ DICE DE ÉL
a.		*Lo / la tiene desde...*
b.		
c.		

3 Piensa **en uno de tus objetos favoritos y** descríbelo.

a. ¿Qué es? ¿Para qué lo utilizas? ....

....

....

b. ¿Desde cuándo lo tienes? ....

....

RECUERDA

LA DURACIÓN

desde 2003
desde los x años
hace x años / tiempo
hace x años / tiempo **que**...

PARA + INFINITIVO

Uso la taza **para** desayunar.

LOS PRONOMBRES DE CD

el pasaporte **lo** necesita para...
la cámara **la** tiene desde...
los libros **los** lee...
las pulseras **las** hace...

Cuaderno, p. 63

¡TENGO UN ESTUCHE DE TELA DE FRIDA KAHLO!

MIS PALABRAS

de – lana / goma / madera / papel / plástico / tela

ponerse (ropa)

Palabras, p. 99
Cuaderno, p. 62

CREAR O COMPRAR

1 Relaciona **las instrucciones con las imágenes. Luego,** mira **el vídeo y** comprueba **tus respuestas.**

Cuad. p. 61

"Tutorial Día de Muertos", *Craftingeek* (2015)

1 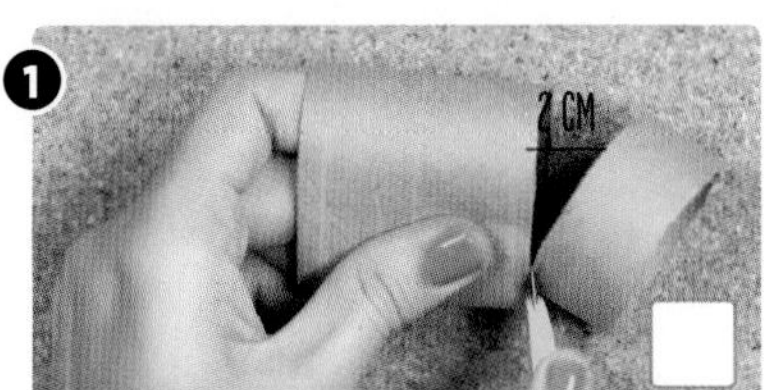

2 

3 

4 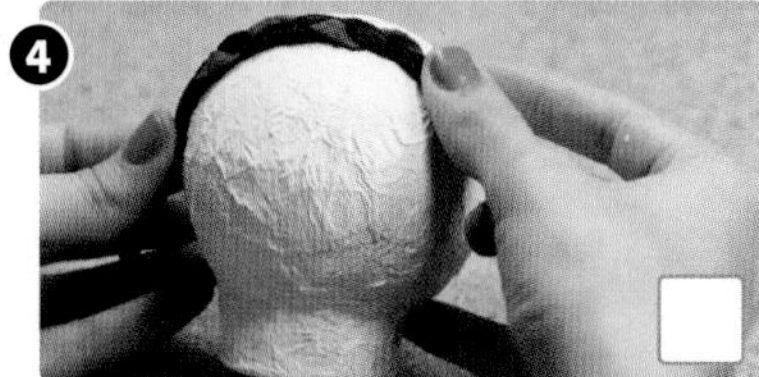

5 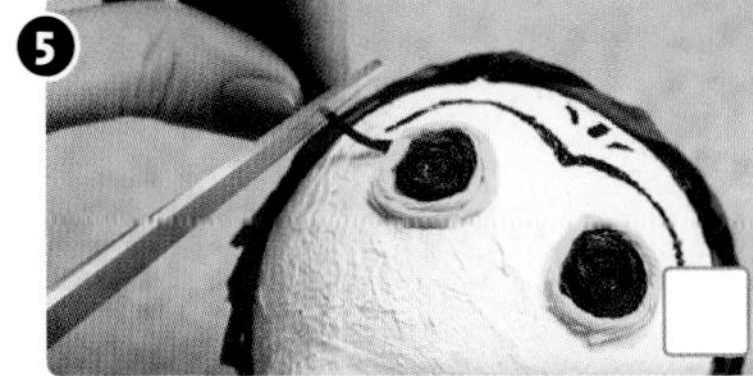

6 

a. Pegamos papel de cocina / baño en nuestra figura y la pintamos de blanco.

b. Y mientras la trenza se seca, hacemos las decoraciones con pintura y papel.

c. Ya tenemos lista nuestra calaverita.

d. Tomamos un rollo de cartón y cortamos un trozo de 2 cm.

e. Lo pegamos a una bola de unicel.

f. Para decorarla, pegamos una trenza de lana.

LÉXICO DEL VÍDEO: 1. linda = bonita **2.** Frida-Catrina: mezcla de Frida Kahlo y Catrina (personaje de una mujer-esqueleto) **3.** unicel (en México) = porexpán (en España) **4.** chiquita (en México) = pequeñita (en España) **5.** listón (en México) = cinta (en España)

2 Escribe **para qué sirven estos objetos y materiales.**

- las pinturas → *para pintar la cara de la figura.*
- el rollo de cartón → ....
- la bola de unicel → ....
- el papel de colores → ....

El Día de Muertos se celebra en México el 1 de noviembre para honrar a los muertos. No es una fiesta triste: ese día los mexicanos celebran la vida y se ríen de la muerte con calaveras y esqueletos.

Mira el vídeo. ¿Qué te sorprende más? ¿Conoces otras tradiciones para honrar a los antepasados?

COMPARTIMOS EL MUNDO

Gran celebración y desfile del Día de Muertos, Ciudad de México, Maxico Mexico (2016)

EL JUEGO DE LAS ADIVINANZAS. Un/a compañero/a piensa en un objeto de la clase y da pistas sin decir su nombre. El resto tiene que adivinarlo.

La usa el profesor para escribir.

¡La pizarra!

Taller de lengua 1
CREO UN VÍDEO TUTORIAL → p. 103

¿QUÉ ME PONGO?

  **Lee el texto y responde oralmente.**

Cuad. p. 64

Si cada vez que abres tu armario te preguntas: "¿Qué me pongo?", necesitas una renovación total. No se trata de comprar más, solo necesitas organizar lo que ya tienes.

Tienes que sacar todo, ABSOLUTAMENTE TODO lo que tienes en tu armario, incluyendo zapatos, accesorios y ropa interior. Ahora empieza a organizarlo por categorías (faldas, vestidos, pantalones...) y también por temporada (los biquinis junto a los pantalones cortos, los abrigos con las bufandas...), y mientras haces eso, identifica las prendas:

- ¿No lo usas por lo menos una vez al año? ¿No? ¡Entonces, adiós!
- Prendas sucias o rotas. Una mancha o una rasgadura sin solución, ¡jamás!

Si decides donar o tirar las prendas, ponlas en bolsas. No dejes pasar más de una semana para entregarlas a su destino.

Naye Cerón, *El viento me despeina* (2016)

a. ¿Qué propone hacer Naye para organizar tu ropa?

b. ¿Qué criterios propone para saber qué ropa no tienes que usar más?

 **2** **¿Te parece un buen consejo "No se trata de comprar más, solo necesitas organizar lo que ya tienes"? ¿Tú lo haces?**

 **3** **Raúl ha decidido dar algunas prendas que no usa. Escribe frases como la del ejemplo.**

La camiseta se la da a... ....

....

....

MIS PALABRAS

los pantalones 
la falda 
el vestido 
la camiseta 
el jersey 
los zapatos 
el abrigo 
la bufanda 
los guantes
la ropa interior

→ Palabras, p. 98
→ Cuaderno, p. 66

MI GRAMÁTICA

LOS PRONOMBRES DE CI

le doy el abrigo (a él / ella)

les llevo la ropa (a ellos / ellas)

LA COMBINACIÓN DE PRONOMBRES DE CD Y CI

le / les + lo / la / los / las → **se lo / la / los / las**

→ Gramática, p. 94
→ Cuaderno, p. 67

ESTILO PERSONAL

1 Observa **estas tres fotos.** Describe **qué ropa lleva cada uno y cómo son sus estilos.**

Cuad. p. **65**

extravagante · original · sencillo · cómodo · clásico · moderno · elegante · deportivo

2

1

- *Me parece que la chica de la foto 1 tiene un estilo...*

3

MIS PALABRAS

los vaqueros
la gorra
las botas
las zapatillas de deporte
las medias
la sudadera

largo/a ≠ corto/a
ancho/a ≠ ajustado/a
liso/a
a rayas

fucsia
lila
rosa
morado

→ Palabras, p. **98**
→ Cuaderno, p. **66**

2 Escucha **las entrevistas a estos chicos y** escribe **sus nombres debajo de cada foto. ¿Cómo definen su estilo?**

pistas 17-19

MI GRAMÁTICA

QUERER + INFINITIVO

Quiero expresar que soy diferente.

→ Gramática, p. **95**
→ Cuaderno, p. **67**

3 **¿Y TÚ? ¿Cómo es tu estilo?** Coméntalo **con un/a compañero/a.**

a. Para mí, la moda **es** / **no es** importante.

b. Mi ropa **transmite** / **no transmite** un estilo de vida.

c. **Tengo** / **no tengo** una forma de vestir típica de una tribu urbana.

d. Llevo ropa **práctica** / **original** / **de marca** / **cara** / **barata** / **nueva** / **de segunda mano** / **ajustada** / **ancha**...

e. Me gustan los colores **fuertes** / **suaves**.

MIS PALABRAS

estar de moda
forma de vestir
tener un estilo deportivo / clásico...

→ Palabras, p. **98, 99**
→ Cuaderno, p. **65, 66**

4 Busca **la foto de alguien famoso y** describe **cómo viste.**

Taller de lengua 2
UN DESFILE DE MODA → p.103

ESTE ME ENCANTA

1 Lee las viñetas. Fíjate en quién usa este, esta, estos y estas y en quién usa ese, esa, esos y esas. ¿Entiendes por qué?

Cuad. p. 68

MI GRAMÁTICA

LOS INTERROGATIVOS

cuál, cuáles

cuánto, cuánta, cuántos, cuántas

→ Gramática, p. **96**
→ Cuaderno, p. **71**

MI GRAMÁTICA

LOS DEMOSTRATIVOS

este / esta / estos / estas

ese / esa / esos / esas

→ Gramática, p. **97**
→ Cuaderno, p. **70, 71**

2 Completa el esquema con las palabras en negrita de la actividad 1.

	CERCA DE QUIEN HABLA	CERCA DE QUIEN ESCUCHA
MASCULINO SINGULAR →		
MASCULINO PLURAL →		
FEMENINO SINGULAR →		
FEMENINO PLURAL →		

3 Fíjate en las terminaciones de estos demostrativos e indica con qué palabras pueden ir.

camiseta | falda | pulseras | jersey | abrigo | zapatos | vestido | guantes

a. este / ese ....

b. esta / esa ....

c. estas / esas ....

d. estos / esos ....

¿ME PUEDO PROBAR ESA CAMISETA?

1 Escucha **a María y a su amigo Rubén y** responde

pista 20

Cuad. p. 68

a. ¿Qué problema tiene Rubén? ....

b. ¿Qué le propone María? ....

c. ¿Qué ropa quiere comprar Rubén? ....

¿SABES QUE...?

El Rastro es un mercadillo muy conocido de Madrid con más de 400 años de historia. Se instala todos los domingos y días festivos en el barrio de La Latina.

2 Escucha **y** completa **las palabras que faltan en los diálogos.**

pista 21

a

- ¿[   ] esa camiseta?
- ¿Cuál, esta? Sí, toma.
- Gracias.
- De nada.

b

- Esta falda me encanta. ¿[   ]?
- Lo siento, esa solo la tengo en lila y en negro.
- Vale. ¿[   ] la negra?

c

- Me los llevo. ¿[   ]?
- 5 euros. Por 8 euros te llevas dos.

d

- ¿[   ]?
- Te queda un poco grande. ¿De qué talla es?

MIS PALABRAS

llevar (ropa)

llevarse algo = comprar algo en una tienda

¿Me queda bien?

¿Cuánto cuesta/n?

¿Me puedo probar...?

¿Me puede enseñar...?

Me lo / la / los / las llevo = Lo / la / los / las compro

→ Palabras, p. 98
→ Cuaderno, p. 69

3 **¿Y TÚ? ¿Vas a mercadillos? ¿Dónde te gusta comprar ropa?**

Taller de lengua 3

VAMOS DE COMPRAS → p. 103

LOS PRONOMBRES DE COMPLEMENTO INDIRECTO (CI)

Los pronombres de CI se sitúan siempre delante del verbo, excepto con el infinitivo, el gerundio y el imperativo.

me	→ *¿Me dejas tu diccionario?*
te	→ *Te he enviado la foto por correo.*
le	→ *Le llevo estos libros a Imelda*.*
nos	→ *Nos dieron la noticia por la tarde.*
os	→ *Os recomiendo esta película, es divertidísima.*
les	→ *Les di las entradas a mis primas*.*

Cuando el complemento indirecto aparece antes del verbo, el pronombre de CI es obligatorio.

A Marta le han comprado una cámara.
(A Marta = CI)

* Al contrario de lo que sucede con los pronombres de CD, el pronombre de complemento indirecto se usa también cuando el CI está en la frase, después del verbo.

Le han comprado una cámara a Marta.
(a Marta = CI)

1 **Completa** estos diálogos con pronombres de complemento indirecto.

a. ● ¿Sabes algo de Inés?
○ Sí, me llamó ayer y *me* habló de su nueva casa. (A MÍ)

b. ● ¿Has avisado <u>a tus padres</u>?
○ Sí, ... he enviado un mensaje.

c. ● Necesito una caja de cartón.
○ Yo tengo una, ... la doy. (A TI)

d. ● Qué contentas están <u>Elisa y Paula</u>, ¿no?
○ Claro, es que .... han dado un premio.

e. ● ¿Quién es <u>Lorena</u>?
○ Es mi alumna, ... doy clase de dibujo.

LA COMBINACIÓN DE PRONOMBRES DE CI Y CD

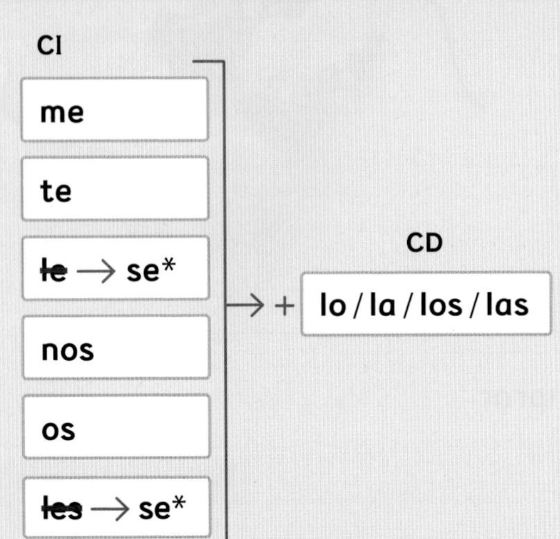

→ + CD: **lo / la / los / las**

¿Te gusta este sombrero? Me lo trajo mi madre de México.

Las pulseras nos las compró mi hermano, y los guantes nos los regaló mi tía.

* le / les + lo → **se lo**
* le / les + la → **se la**
* le / les + los → **se los**
* le / les + las → **se las**

● *¿Le has dado el regalo a tu madre?*
○ *No, se lo voy a dar esta tarde.*

2 Completa **estas frases con los pronombres de CD y CI necesarios.**

a. ● ¿A quién puedo darle estos zapatos?
 ○ *Se* *los* puedes dar a Julia, seguro que le encantan.
b. ● Marisa, ¿me puedes dejar el libro de Lengua?
 ○ Claro, ahora .... doy.
c. Tu hermana ha olvidado las gafas de sol. ¿Por qué no .... llevas?
d. ¡Qué bonita te ha quedado la pulsera! ¿........ .... has enseñado a Roberto?
e. ● Leo, ¿le has devuelto la camiseta a Andrés?
 ○ Sí, ... devolví ayer.
f. ● Profe, ¿nos pones el tutorial de La Catrina otra vez?
 ○ Vale, ahora .... pongo.

QUERER + NOMBRE / INFINITIVO, NECESITAR + NOMBRE / INFINITIVO

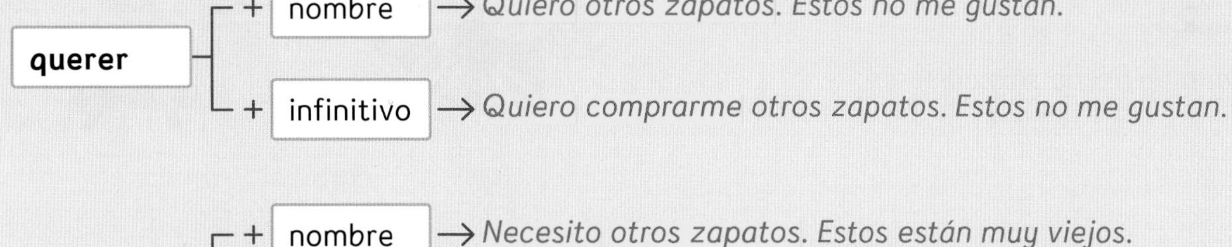

querer
- \+ nombre → *Quiero otros zapatos. Estos no me gustan.*
- \+ infinitivo → *Quiero comprarme otros zapatos. Estos no me gustan.*

necesitar
- \+ nombre → *Necesito otros zapatos. Estos están muy viejos.*
- \+ infinitivo → *Necesito comprarme otros zapatos. Estos están muy viejos.*

3 Traduce **estas frases a tu lengua. ¿Usas el mismo verbo en a y b? ¿Y en c y en d?**

a. Estoy cansado. **Necesito** dormir más.

....

b. Para la clase de yoga, **necesitamos** pantalones cortos y zapatillas de deporte.

....

c. Este año **quiero** hacer un curso de español en México.

....

d. Para mi cumpleaños, **quiero** un móvil nuevo.

....

LOS DEMOSTRATIVOS

	MASCULINO	FEMENINO	NEUTRO
CERCA DE QUIEN HABLA →	est**e** / est**os**	est**a** / est**as**	est**o**
CERCA DE QUIEN ESCUCHA →	es**e** / es**os**	es**a** / es**as**	es**o**
LEJOS DE LOS DOS →	es**e** / es**os** aquel / aquell**os**	es**a** / es**as** aquell**a** / aquell**as**	es**o** aquell**o**

Los demostrativos sirven para situar algo en el espacio:

- *¿Cómo se dice esto en español?*
- *Falda.*

Y en el tiempo:

Esta semana he hecho seis pulseras.

4 Completa los demostrativos con la terminación adecuada.

a. ¿Me puedo probar es*a*...... falda?

b. Est...... jersey, ¿lo tiene en negro?

c. ¿Est...... guantes son tuyos?

d. Est...... no es mi libro. El mío es aqu...... .

5 Lee los diálogos y elige la opción adecuada.

ANA: ¿Qué es **eso** de allí?
PAULA: ¿**Aquello** negro? Parece una vaca.

a. La vaca está lejos de... → Ana. ☒ → Paula. ☐

ANA: **Ese** libro me encanta. Lo he leído dos veces.
PAULA: Pues yo me estoy aburriendo.

b. El libro lo tiene... → Ana. ☐ → Paula. ☐

ANA: **Esa** blusa de ahí me gusta mucho.
PAULA: ¿Cuál?, ¿**esta**? Sí, es muy original.

c. La blusa está cerca de... → Ana. ☐ → Paula. ☐

ANA: ¿Te gusta **este** jersey, Paula?
PAULA: Sí, es precioso. ¿Dónde lo has comprado?

d. El jersey lo lleva puesto... → Ana. ☐ → Paula. ☐

LOS INTERROGATIVOS

¿Dónde...?	→ *¿Dónde has comprado esa falda tan bonita?*
¿Qué...?	→ *¿Qué te vas a poner para la fiesta?*
¿Cuándo...?	→ *¿Cuándo es tu cumpleaños?*
¿Quién/es...?	→ *¿Quiénes son tus compañeras?*
¿Cuál/es...?	→ *¿Cuáles son tus guantes?*
¿Cuánto/a/os/as...?	→ *¿Cuántos pantalones llevas?*
¿Por qué...?	→ *¿Por qué quieres ir al mercadillo?*

Usamos **por qué** para preguntar por la causa y **porque** para introducir la causa en frases afirmativas.
- *¿Por qué llevas un abrigo y unos guantes?*
- *Porque queremos ir a esquiar.*

6 Subraya la opción adecuada.

a. ¿**Por qué** / **porque** quieres comprar ropa? Tienes mucha.

b. Le he comprado unos pendientes a mi madre **por qué** / **porque** es su cumpleaños y le encantan las joyas.

c. ● ¿**Por qué** / **porque** miras este tutorial?
○ **Por qué** / **porque** quiero hacerle una pulsera a mi hermana.

d. ● ¿**Por qué** / **porque** llevas siempre la cámara de fotos?
○ **Por qué** / **porque** me gusta mucho hacer fotos por la calle.

7 Completa estas preguntas con cuánto/a/os/as, cuándo o cuál/es. Después, relaciónalas con las respuestas.

a. ¿ *Cuántos* habitantes tiene Ciudad de México? [5]

b. ¿.................. es la capital de México? [ ]

c. ¿.................. lenguas se hablan en México? [ ]

d. ¿.................. se celebra el Día de Muertos? [ ]

e. ¿.................. es la comida que se vende en las taquerías? [ ]

1. El 1 de noviembre.
2. Los tacos.
3. Ciudad de México.
4. 69: el español y 68 lenguas indígenas.
5. Casi 9 millones.

GENTE

COMPRAR ROPA

moderno/a
deportivo/a
elegante
extravagante
sencillo/a
cómodo/a
clásico/a
original

LAS PRENDAS

 la camiseta
 la camisa
 los pantalones
 los vaqueros
 la falda
 la blusa

 el vestido
 el abrigo
 el jersey
 la sudadera
 los calcetines

 las medias
 la ropa interior
 los zapatos
 las zapatillas de deporte
 las botas

 ancho/a ≠ ajustado/a 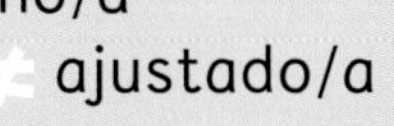
 corto/a ≠ largo/a 
limpio/a ≠ sucio/a 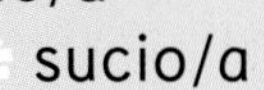
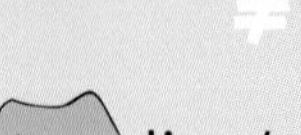 liso/a
 a rayas
 roto/a

¿Me puede enseñar...?
¿Puedo probarme...?
¿Cuánto cuesta/n...?
¿De qué talla es?
¿Tiene otro/a más...?
¿Qué me pongo?

Me lo / la / los / las llevo.

Llevas un jersey muy bonito.

te queda → grande ≠ pequeño(a)
te queda → bien ≠ mal

LA ROPA

1 **¿Quién es quién? Relaciona las descripciones con los dibujos correspondientes.**

a. Lleva una falda azul. ☐
b. Lleva varias pulseras de colores. ☐
c. Lleva una blusa azul y unos zapatos marrones. ☐
d. Lleva unos pantalones negros y un sombrero muy grande. ☐
e. Lleva una camiseta roja y unos pantalones marrones. ☐
f. Lleva un collar muy bonito. ☐

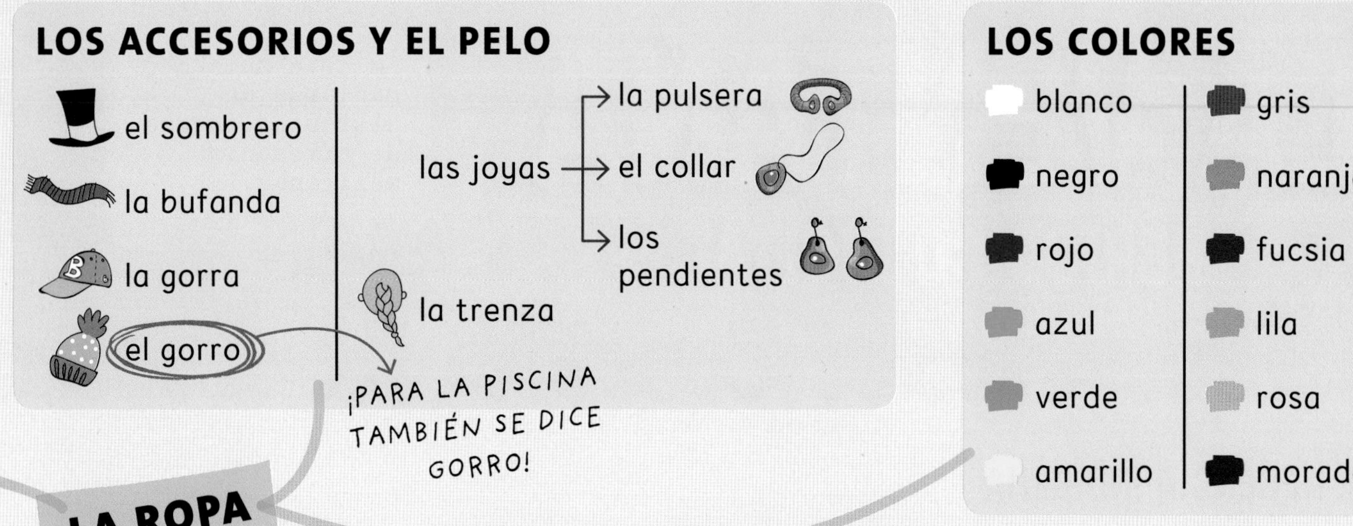

LA ROPA

CREATIVA

LAS MANUALIDADES

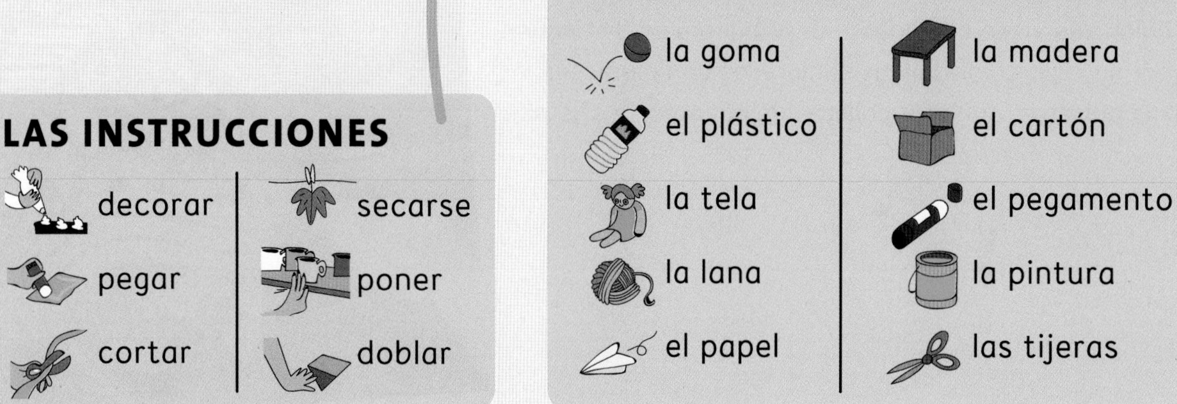

LOS MATERIALES

2 Completa **las descripciones de estos objetos con los nombres de los materiales.**

madera | cartón | lana | plástico

a. Una bufanda de ....

b. Unas cajas de ....

c. Unas pulseras de ....

d. Una silla de ....

3 ¡Crea tu mapa mental! **Clasifica la ropa según lo que tienes y lo que no tienes en tu armario. Añade fotos o dibujos para ilustrar las palabras más difíciles para ti.**

https://www.laventana.rep

LA VENTANA

PERIÓDICO DIGITAL

En este número hablamos de distintas formas de artesanía mexicanas.

LA HERENCIA INDÍGENA

En México, una parte muy importante de la población desciende de pueblos precolombinos como los otomís, los huicholes o los mayas. Actualmente, la herencia indígena permanece en muchas tradiciones, costumbres y rasgos culturales mexicanos. Además, gracias a esta herencia, la artesanía mexicana tiene fama mundial por su riqueza, variedad y autenticidad.

El arte huichol

Tiene orígenes muy antiguos, de cuando los chamanes creaban figuras de dioses y animales sagrados. Los huicholes viven en el oeste de México y se distinguen por su ropa colorida, sus sombreros con plumas y sus pulseras, anillos y collares de cuentas de cristal.

Cabeza de puma hecha con cuentas de colores ↓

↑ Papel amate (2016)

El papel amate o amatl

En el estado de Puebla, los habitantes de origen otomí elaboran papel artesanal con la corteza de un árbol. En él dibujan o recortan figuras que representan personajes de sus leyendas y de su mundo.

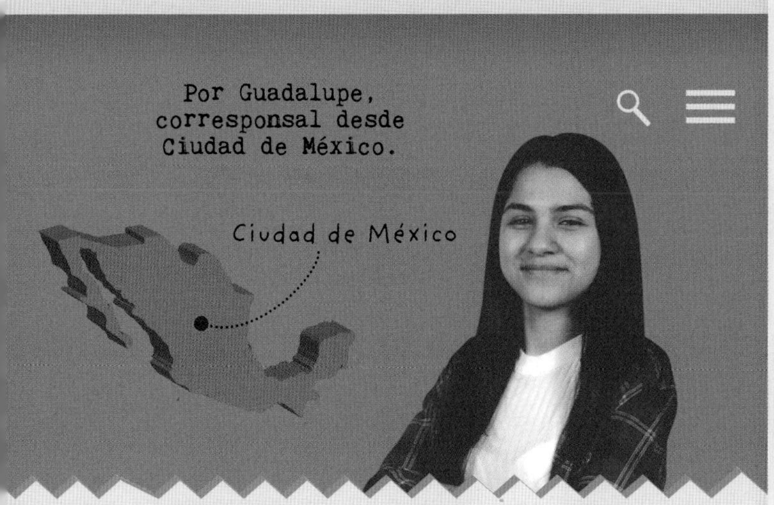

Los árboles de la vida

Son esculturas de barro originarias del estado de Metepec que representan el árbol sagrado, símbolo de la vida. En la época colonial se usaban para enseñar la Biblia. Actualmente, pueden mostrar cualquier aspecto de la vida.

Árbol de la vida sobre el tema de la artesanía, de Óscar Soteno (2009) ⇢

CONOCEMOS CIUDAD DE MÉXICO

VÍDEO
DVD 10

↑ *Ciudad de México*, expedia.mx (2016)

1 Lee **los textos de La Ventana** y responde.

a. ¿Por qué la artesanía de México es tan conocida en el mundo?

b. ¿Qué representaban antiguamente los huicholes con su artesanía?

c. ¿Para qué servían los árboles de la vida?

d. ¿Cuál de las tres formas de artesanía te gusta más? ¿Por qué?

2 Mira **el vídeo** y **responde.**

a. ¿Qué formas de arte se pueden encontrar en las calles de Ciudad de México?

....

....

....

b. ¿De qué museos hablan en el vídeo? ¿Cuál te gustaría visitar? ¿Por qué?

....

....

....

¡Eres periodista!

Vas a investigar sobre un sombrero muy típico de México.

1. Escribe en un buscador de internet “sombrero de charro”.
2. Toma nota de esta información:
   - Región de origen.
   - Materiales con los que se fabrica.
   - Para qué se utilizaba originalmente.
   - Quién lo utiliza en la actualidad.
3. Busca imágenes de diferentes sombreros de charro.
4. Crea un póster con tus notas y las imágenes que has encontrado.

Educación para la igualdad de oportunidades

DIVERSIDAD EN LA MODA

SOMOS CIUDADANOS

LA DISEÑADORA CON SÍNDROME DE DOWN QUE REVOLUCIONA LA MODA

Se llama Isabella Springmühl, tiene 19 años, nació en Guatemala y es la única diseñadora con síndrome de Down que ha mostrado sus prendas en la London Fashion Week, uno de los eventos de moda más importantes del mundo.

"De pequeña pasaba horas con las revistas de moda", dice su madre. "Tenía como 16 muñecas de trapo y me pedía que le comprara tela que luego cortaba, y con alfileres iba haciéndoles vestidos".

Hoy, Isabella está viviendo un sueño. Un sueño que parecía imposible cuando no le permitieron entrar en la Universidad Nacional. Pero ni ella ni su familia se dieron por vencidos e Isabella entró poco después en una escuela especializada en diseño.

Gracias al estímulo de su familia y a su gran fuerza de voluntad, la carrera de Isabella no para de crecer. Tiene su propia marca y un blog en el que muestra sus creaciones y habla de moda.

Adaptado de *Clarín* (2016)

1 Reflexiona. **¿Qué imagen tienes de la gente que se dedica a la moda?**

2 Lee **el artículo y** responde.

a. ¿Qué es la London Fashion Week?

b. ¿Desde cuándo Isabella siente pasión por la moda?

c. ¿Por qué Isabella no pudo estudiar en la universidad? ¿Dónde estudió?

d. ¿Qué es lo que ha ayudado siempre a Isabella?

3 Opina. **¿Crees que la gente con algún tipo de discapacidad tiene las mismas oportunidades que los demás? ¿Por qué?**

4 Actúa. **¿Conoces otros casos de personas que, a pesar de sus discapacidades, hayan podido cumplir con sus sueños?** Crea **con tu compañero/a un eslogan sobre la igualdad de oportunidades.**

Taller 1 • LECCIÓN 1

CREO UN VÍDEO TUTORIAL

Alternativa no digital
Cread un póster con imágenes e instrucciones.

Nos preparamos

1 Vas a hacer un **vídeo tutorial** para crear algo. Elige lo que te gustaría fabricar: una camiseta pintada, un objeto para decorar tu habitación...

Lo creamos

2 Haz una **lista de materiales** y escribe un **guion** con los pasos. Usa los pronombres de CD.

Lo presentamos

3 Prepara el material que necesitas y **ensaya**. **Graba tu vídeo** y enséñalo en clase o súbelo al blog o a la web de tu centro.

Taller 2 • LECCIÓN 2

UN DESFILE DE MODA

Alternativa digital
Grabad vuestro desfile en vídeo y subidlo a la web del instituto.

Nos preparamos

1 En grupos, vais a preparar un **desfile de moda** para presentar las **tendencias de moda** más populares entre los jóvenes de vuestra edad. Uno/a de vosotros/as será el presentador o presentadora de la pasarela y los demás seréis los/as modelos.

Lo creamos

2 Llevad a la clase **prendas y accesorios** característicos de algún estilo juvenil y escribid el guion de la presentación para la pasarela.

Lo presentamos

3 Los/as modelos **desfilan** por la pasarela, mientras el / la presentador/a **describe la ropa** que llevan. Podéis buscar música adecuada para vuestro estilo y ponerla durante el desfile.

Taller 3 • LECCIÓN 3

VAMOS DE COMPRAS

Alternativa digital
Grabaos en vídeo y subid vuestras escenas a la web del centro.

Nos preparamos

1 En grupos de tres, vais a **representar** una **escena en una tienda de ropa**. Uno/a de vosotros/as será el dependiente o la dependienta, y los otros dos, los clientes o clientas.

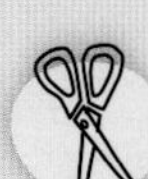

Lo creamos

2 Escribid el **guion**. Tenéis que...
- pedir dos prendas y probároslas.
- preguntar cómo os quedan.
- pedir otra talla o color.
- comprar y pagar una prenda.

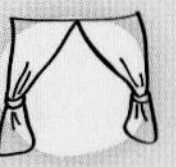

Lo presentamos

3 **Representad** vuestra escena delante de la clase. ¿Cuál ha sido la más divertida? ¿Y la más creíble?

https://www.laventana.rep

LA VENTANA

¡ESPECIAL PACHAMAMA!

Marco Antonio escribe sobre una fiesta ancestral americana.

LOS INCAS Y LA PACHAMAMA

La civilización de los incas fue una de las más desarrolladas y extensas de la América precolombina. Se extendía por casi toda la zona de los Andes y su economía se basaba sobre todo en la agricultura y el intercambio. Su religión era politeísta: su dios principal era el Sol, pero también adoraban a la Luna, a la Tierra y a otros elementos de la naturaleza.

La Pachamama o Mama Pacha era la diosa que representaba a la Tierra. La palabra "Pachamama" procede de la lengua quechua y significa 'Madre Tierra'. "Pacha" puede traducirse como 'cosmos' o 'Tierra', y "mama" equivale a 'madre'.

↑ Extensión del Imperio inca entre los siglos XV y XVI

↓ Machu Picchu, Perú. Uno de los centros religiosos más importantes del Imperio inca

1 **¿Qué civilización precolombina tenía a la Pachamama como diosa?**

2 **¿Qué significa "Pachamama" en quechua?**

3 **¿Qué cosas se ofrecen en el ritual?**

4 **Compara el mapa de esta página con el mapa de América Latina del final del libro. ¿En qué países se sitúan los Andes?**

EL RITUAL

La Madre Tierra fecunda y nutre la tierra, pero si se enfada, puede ser destructora. Por eso hay que respetarla, honrarla y cuidarla, sobre todo en el mes de la siembra. El 1 de agosto se celebra un día en su homenaje en todo el mundo andino.

El ritual más común para venerar a la Pachamama es la corpachada, que significa 'dar de comer y beber a la tierra'. Se "abre la boca" de la Madre Tierra, es decir, se cava un agujero en el suelo y se entierran los alimentos y las bebidas. Además, se le ofrecen hojas de coca y yuyo. Luego se cubre la "boca" con tierra. Después del ritual, se celebra una fiesta con baile y música.

↑ Ottoniel Chavajay, América Late, Argentina (2014)

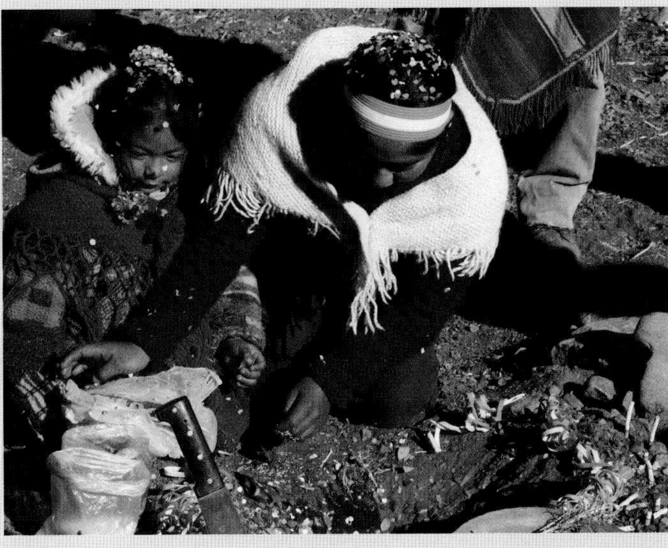

↑ Ritual de la Corpachada (Jujuy, Argentina)

HISTORIA DE SU CULTO

La Pachamama no tiene santuarios de culto. La naturaleza es su templo, especialmente los lugares con agua como los manantiales.

Actualmente se venera a la Pachamama sobre todo en las zonas rurales de los Andes, además de la zona norte de Chile y Argentina. También en las grandes ciudades como Buenos Aires existen celebraciones que cuentan con la presencia de autoridades locales.

5 **¿Podrías nombrar dos países de Sudamérica en los que se celebra esta fiesta?**

¡Eres periodista!

Muchas empresas y organizaciones usan el nombre "Pachamama" porque su actividad tiene que ver con la naturaleza. Busca en internet alguna de ellas. ¿De qué país es?

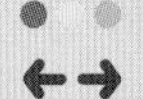

https://www.laventana.rep

LA VENTANA

~ ESPECIAL DÍA DE MUERTOS ~

Guadalupe nos presenta la fiesta más internacional de México.

UNA MANERA DE HONRAR A LOS MUERTOS

La vida y la muerte se fusionan en una de las tradiciones más importantes de México: el Día de Muertos.

En esta celebración, los mexicanos creen que los muertos vuelven para visitarlos y preparan ofrendas para darles la bienvenida, pero no se trata de un día triste, sino de una fiesta alegre y colorida.

Su origen es de la época prehispánica, cuando los aztecas y los mayas veneraban la muerte a través de rituales. Con la llegada de los españoles a América, estos rituales se mezclaron con elementos de la religión católica y así nació el Día de Muertos, que se celebra el 1 y el 2 de noviembre.

LA CATRINA

Una figura importante del Día de Muertos es La Catrina, un esqueleto de mujer con sombrero creado a principios del siglo XX para criticar la situación del país y la hipocresía de las clases privilegiadas. Actualmente este personaje se ha popularizado y se ha adoptado como disfraz. Por eso, en el Día de Muertos, algunas personas se visten y se maquillan como esqueletos. Además, se crean figuras de todo tipo que representan calaveras y esqueletos.

Pareja vestida y maquillada para celebrar el Día de Muertos en Oaxaca (México)

La Catrina original, creada por el ilustrador José Guadalupe Posada (1913)

1. **¿El Día de Muertos es una celebración triste o alegre? ¿Por qué?**

2. **¿Quién es La Catrina?**

3. **¡Descubre la mentira!**

   a. En esta fiesta no hay comidas típicas.

   b. La religión católica influyó en los antiguos rituales dedicados a la muerte.

¿CÓMO SE CELEBRA?

Según la tradición, los mexicanos visitan el cementerio para rezar a los difuntos y también colocan altares en sus casas.

Los altares tienen muchos objetos: incienso, velas, flores de cempasúchil, fotografías, música, licor y objetos personales del muerto. También se preparan calaveras de azúcar y el famoso pan de muerto.

El Día de Muertos es una fiesta muy importante para los mexicanos y en todo el país se celebra con disfraces, desfiles, música y baile.

↑ Mujeres disfrazadas de La Catrina con vestidos tradicionales mexicanos

TÍPICO ALTAR DEL DÍA DE MUERTOS

4 **¿Qué hacen los mexicanos para celebrar esta fiesta?**

¡Eres periodista!

Escribe un texto en un blog para presentar una fiesta importante en tu país. Acompáñalo de fotografías, vídeos o dibujos.

ZOOGOCHO

1 Lee la ficha y observa el cartel.

a. ¿Crees que *Zoogocho* cuenta hechos reales o de ficción? ¿Los personajes son actores?
b. ¿Quiénes son los zapotecas? Búscalo en internet, con las palabras "pueblo zapoteco".
c. ¿Dónde está situado el internado: en el campo o en la ciudad? ¿Por qué viven en un internado los niños del documental?

FICHA TÉCNICA

TÍTULO:
Zoogocho

DIRECTOR:
Bernardo Arellano

PAÍS:
México

AÑO:
2008

SINOPSIS:
En este documental descubrimos la vida de un grupo de niños en el internado de una escuela de Oaxaca (México).

Durante la hora del recreo

Durante una clase

2 Observa los fotogramas.

a. ¿Qué están haciendo los niños?
b. ¿Crees que lo están pasando bien? ¿Por qué?

3 Mira la escena y responde.

VÍDEO
DVD 11

a. Fíjate en la niña del tejado. ¿Qué asignatura está estudiando? Justifícalo con lo que oyes.
b. Fíjate en lo que dice la profesora. ¿Para qué tienen que estudiar los chicos?

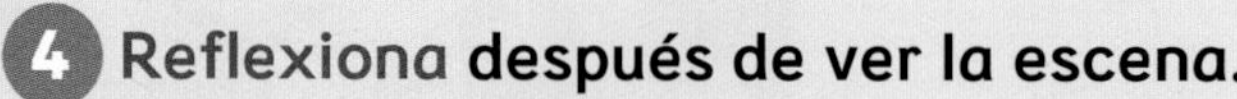

4 Reflexiona después de ver la escena.

a. ¿Cómo son los chicos del vídeo? Completa la frase y justifica tu opinión.
Son niños…

rebeldes | motivados | desilusionados | dinámicos | aburridos

b. ¿Qué te llama la atención de esta escuela?
c. La profesora les dice que tienen que estudiar antes de entrar en la banda. ¿Qué opinas?

Alicia en el país

1 Lee **la sinopsis y** observa **el mapa.**

a. ¿Por dónde pasa Alicia?
b. ¿Dónde está la cordillera de los Andes?

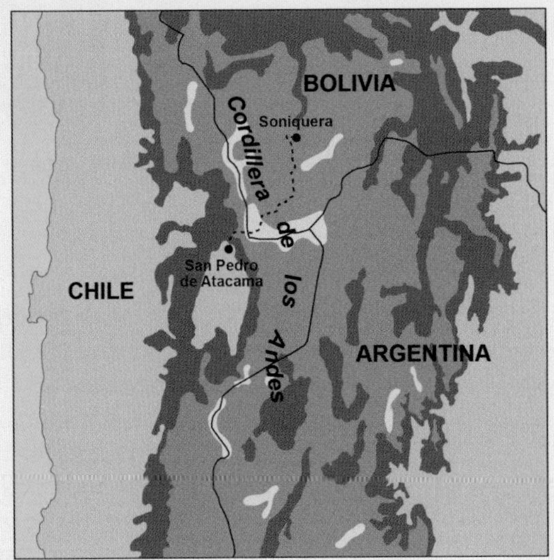

FICHA TÉCNICA

TÍTULO:
Alicia en el país

DIRECTOR:
Esteban Larraín

PAÍS: Chile

AÑO: 2008

SINOPSIS:
En la película se cuenta el viaje solitario de una niña quechua de 13 años desde su pueblo, Soniquera, hasta la ciudad de San Pedro de Atacama. Allí espera encontrar trabajo para ayudar a su familia. El director, Esteban Larrain, la sigue con su cámara a lo largo de 180 km por los paisajes impresionantes de la cordillera de los Andes.

2 Mira **la escena y** responde.

a. ¿Qué oyes? ¿Qué ves?
b. ¿Qué hace la niña?
c. ¿Cuándo se utiliza el plano general? ¿Y el primer plano? Di qué sensaciones te transmite cada uno.

MIS PALABRAS

quechua: pueblo indígena
plano general: visión de conjunto (la figura humana ocupa normalmente 1/3 del espacio)
primer plano: visión de cerca de un personaje (se le ven la cara y los hombros)

Alicia en su viaje

3 Reflexiona **después de ver el fragmento.**

a. ¿Cómo puedes calificar este tipo de viaje? Escoge una de estas palabras y explica tu elección.

aburrido | aventurero | difícil
iniciático | único | increíble

b. Imagina las condiciones del viaje: qué come, dónde duerme, cómo se lava, etc.

EL VIAJE DE CAROL

↑ Carol y Tomiche, personajes principales de la película

↑ Dos guardias con Tomiche

FICHA TÉCNICA

TÍTULO:
El viaje de Carol

DIRECTOR:
Imanol Uribe

PAÍS: España y Portugal

AÑO: 2002

SINOPSIS:
En 1938, Carol, una niña de 11 años que vive en EE. UU., viaja por primera vez al pueblo natal de su madre en España. En plena guerra civil y separada de su padre, Carol descubre otra familia y otro mundo, y deberá adaptarse a una sociedad que no conoce.

1 Lee **la sinopsis. ¿Qué sabes de la guerra civil española?** Busca **en internet y, con la ayuda de esta información,** explica **qué pasó.**

2 Observa **el cartel de la película. ¿Cómo crees que es la relación entre los dos niños?**

3 Mira **el vídeo y** responde**.**

a. ¿Por qué Tomiche le ofrece la cría de paloma a Carol? ¿Cuál es su intención?
b. ¿Cómo reacciona la chica?
c. ¿Por qué los dos guardias quieren llevarse al chico?
d. ¿Qué dice la chica para ayudarlo?

4 Reflexiona **después de ver las escenas.**

a. ¿Con qué adjetivos puedes describir a Carol?
b. ¿Crees que Carol es madura para su edad? ¿Por qué?

M A T E O

1 Observa **el fotograma. ¿Qué crees que están haciendo los chicos?**

Mateo, el protagonista de la película, levantado por sus compañeros

2 Mira **el vídeo y** responde**.**

a. ¿Qué le pasa a Mateo al principio? ¿Por qué no quiere participar?

b. ¿Crees que al inicio confía en sus compañeros? ¿Por qué?

c. ¿Qué le dice su compañera? ¿Lo ayuda a sentirse mejor?

3 Mira **el vídeo y** responde**.**

a. ¿Crees que a Mateo le ha gustado la experiencia? ¿Por qué?

b. ¿Los chicos han trabajado bien en equipo? ¿Qué los ha ayudado?

c. ¿Por qué crees que Mateo se queda tumbado en el suelo?

4 Reflexiona **después de ver la escena.**

a. ¿Crees que el arte puede cambiar a la gente? ¿Cómo? Da ejemplos que conozcas.

b. Y a ti, ¿la música puede cambiarte el estado de ánimo? ¿Qué otras cosas pueden influirte?

5 Opina**. ¿Crees que es importante confiar en tus compañeros/as cuando se trabaja en equipo?**

FICHA TÉCNICA

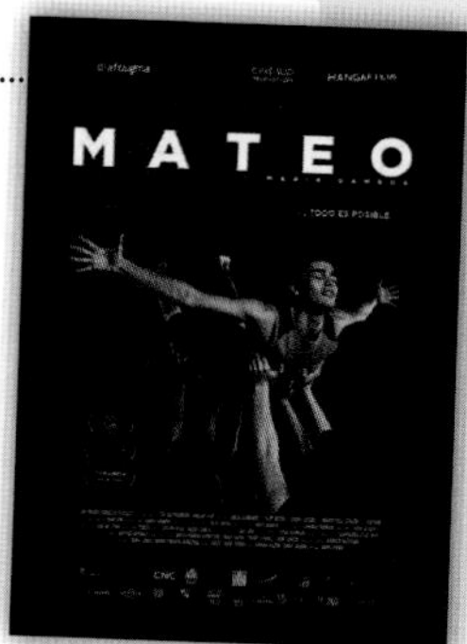

TÍTULO:
Mateo

DIRECTORA:
María Gamboa Jaramillo

PAÍS: Colombia

AÑO: 2008

SINOPSIS:
Mateo, un joven de 16 años, vive con su madre en un pueblo pobre y violento en el valle del río Magdalena. Ha tenido problemas con la justicia y la condición para poder seguir con sus estudios es entrar a formar parte del grupo de teatro del pueblo.

CÓMO PREPARAR UNA PRESENTACIÓN ORAL

Mis estrategias

1 Antes de escribir el guion

- Haz un esquema en el que no puede faltar:
  - Saludo y tema de la presentación.
  - Partes de la presentación.
  - Despedida, agradecimiento y turno de preguntas.

2 Mientras escribes

- Haz frases cortas y sencillas.
- Corrige: revisa los tiempos verbales y las concordancias.
- Prepara una versión a limpio de tu esquema. Hazla muy visual, con dibujos, flechas y lo que necesites.
- Prepara un póster o una proyección. Tu presentación será más amena y te ayudará si te quedas en blanco.

3 Para ensayar

- Lee el guion en voz alta y memoriza lo más importante.
- Luego, intenta decir lo que pone en el guion sin leerlo todo.
- Acompaña tus frases con la entonación adecuada, con pausas y con gestos.
- En tu último ensayo, relájate, usa un tono amable y habla para que tus compañeros/as te entiendan.

Un caso práctico — Unidad 2, Lección 2. ¿Qué tiempo hace? → p. 37

¡Pon en práctica las estrategias anteriores para hacer la actividad 4! Además...

ANTES DE ESCRIBIR EL GUION

a. Imagina y dibuja el tiempo que hará en tu zona la semana que viene en una tabla como la de la página 37.

b. Revisa la lección para ver qué recursos de MI GRAMÁTICA o de MIS PALABRAS necesitas.

MIENTRAS ESCRIBES

c. Escribe las frases que necesitarás para describir el tiempo de cada día. Intenta que sea variado y habla también de la temperatura, del frío y del calor.

PARA ENSAYAR

d. Puedes crear una tabla con dibujos como la de la actividad 1 para proyectar. Tu presentación será más amena y te ayudará si te quedas en blanco.

e. Si quieres que sea divertido, ¡puedes imitar a un hombre o mujer del tiempo de la televisión!

CÓMO MEMORIZAR VOCABULARIO

Mis estrategias

1 Antes de empezar a memorizar

- Organiza el contenido por categorías según...
  - tu experiencia: **me gusta / no me gusta**...
  - la utilidad o la función: medios de transporte / lugares...
  - causas y consecuencias: enfermedades / síntomas...

  ¡Hay muchas formas de organizar, usa la más clara para ti!

2 Técnicas para memorizar

- Reflexiona sobre el tipo de memoria que tienes: ¿Recuerdas mejor cuando...
  - ves dibujos, imágenes o símbolos?
  - lees en silencio?
  - lees en voz alta?
  - escuchas?
  - te mueves?
  - dices lo que debes memorizar en voz alta, sin leer?
  - una mezcla de lo anterior?

3 Mientras memorizas

- Evita las distracciones.
- Tómatelo como un reto. Dite a ti mismo/a que eres capaz de memorizar. No es difícil, ¡solo necesitas concentrarte durante unos minutos!
- Repasa al día siguiente, solo unos minutos.

Un caso práctico — Unidad 3, Mi mapa mental. La descripción física → p. 62

¡Pon en práctica las estrategias anteriores para memorizar el vocabulario de la descripción física! Además...

ANTES DE EMPEZAR A MEMORIZAR

a. Para organizar el contenido, una idea es ponerte a ti como modelo. Pega una foto tuya en una hoja de papel grande. Señala las partes de la cara y del cuerpo que conoces con una flecha y escribe la palabra correspondiente y una frase. Por ejemplo: **el pelo → Tengo el pelo rizado**.

b. Subraya en un color el verbo que has utilizado: ¿**ser**, **tener** o **llevar**?

c. Haz lo mismo con fotografías de otras personas.

MIENTRAS MEMORIZAS

d. Memoriza por partes, no todo a la vez. Recuerda las técnicas anteriores: leer en voz baja, en voz alta, grabarte y escucharte...

e. Al final, observa las fotografías sin palabras escritas y descríbelas. Prueba también a describir fotografías nuevas.

CÓMO CORREGIR ANTES DE ENTREGAR

Mis estrategias

1 Comprueba que has hecho lo que te piden

- Comprueba si has hecho todo lo que se te pide en la actividad. ¿Has olvidado algo? ¿Te has ido del tema?
- Vuelve a leer tu texto y sé objetivo/a: ¿cuál es tu impresión de conjunto? ¿El texto se entiende bien? ¿Cómo podrías mejorarlo?

2 Detecta los errores

- Utiliza la tabla de autocorrección (ver contenidos digitales integrativos). Revisa la gramática, la ortografía y la puntuación. Observa si hay repeticiones innecesarias y elimina las palabras repetidas o sustitúyelas por pronombres.
- Lee tu texto una última vez y corrige lo necesario.

3 Cuida la presentación

- No olvides escribir el título, tu nombre, tu clase y la fecha.
- Pasa tu texto a limpio si lo has escrito a mano.
- Recuerda que es mucho mejor invertir unos minutos en corregir que hacer las cosas a toda prisa. ¡Esto puede hacer variar mucho tus notas!

Un caso práctico — Unidad 4, Taller de lengua 2. Creamos un libro de biografías

→ p. 85

¡Pon en práctica las estrategias anteriores para hacer este taller de lengua! Además...

COMPRUEBA QUE HAS HECHO LO QUE TE PIDEN

a. Vuelve a leer las consignas. ¿Has hablado de la adolescencia del personaje? ¿Y de algún momento importante de su vida? ¿Has explicado por qué te gusta?

b. Lee tu texto entero y piensa en los destinatarios: tu profesor/a y tus compañeros/as. ¿Van a entenderlo bien? Piensa en formas de mejorarlo. ¿Podrías simplificarlo o bien enriquecerlo con conectores, adjetivos, etc.?

DETECTA LOS ERRORES

c. Utiliza la tabla de autocorrección. Sigue el orden propuesto para corregirte de forma sistemática. Marca cada elemento una vez revisado.

d. Vuelve a leer tu texto. ¡Seguro que ahora está mucho mejor! Si todavía encuentras algún error, no dudes en corregirlo.

CUIDA LA PRESENTACIÓN

e. Si tu texto está hecho a mano, pásalo a limpio. Escribe el título con letras bonitas y bien legibles. Si está hecho en el ordenador, asegúrate de que el tamaño de la letra y el interlineado son adecuados.

CÓMO CREAR UN VÍDEO

Mis estrategias

1 Antes de hacer el vídeo

- Piensa en los destinatarios y en el mensaje que deseas transmitir. El estilo debe ser adecuado a las dos cosas.
- Escribe un guion y prepara el material que necesites.
- Busca un lugar adecuado y prepáralo si es necesario.

2 Mientras haces el vídeo

- Puedes grabar o bien hacer un montaje con fotografías, sonidos y textos.
- Después de grabar, podrás cortar las partes que sobran o han salido mal. Existen programas de edición de vídeo sencillos y gratuitos.
- Si hay una voz en *off*, grábala mientras ves el vídeo ya terminado.
- Puedes añadir música y textos escritos en la pantalla: lugares, fechas, palabras clave...
- No olvides poner el nombre de los autores (el tuyo o el vuestro, si trabajáis en grupo) y los agradecimientos al final del vídeo. Si has usado música o imágenes de otras personas, también debes poner su nombre.

3 Después de hacer el vídeo

- Revisa los textos. Si has encontrado errores importantes, repite la grabación o elimina el error.
- Verifica que el sonido es bueno y que las imágenes se ven bien.

Un caso práctico — Unidad 5, Taller de lengua 1. Creo un vídeo tutorial

→ p. 103

¡Pon en práctica las estrategias anteriores para hacer este taller de lengua! Además...

ANTES DE HACER EL VÍDEO

a. Para elegir el objeto que vas a fabricar, pregúntate: ¿se puede hacer en poco tiempo? ¿Es fácil de elaborar? ¿Y de explicar? ¿Puedo hacerlo bien?

b. Escribe el guion en varias etapas. Para cada etapa, anota cuál es el objetivo, cómo lo vas a hacer y con qué materiales. Construye frases cortas y claras.

c. Piensa qué tiempo verbal vas a usar para dar las instrucciones: ¿presente de indicativo o **ir a** + infinitivo? Utiliza los pronombres de CD y CI para evitar repeticiones. Usa también los conectores **primero**, **luego**, **después**...

d. Prepara todo el material que necesitas y sepáralo según la etapa en la que lo vas a emplear. Busca una mesa o espacio grande para estar cómodo/a.

MIENTRAS HACES EL VÍDEO

e. Coloca la cámara en un lugar estable. Haz una grabación de prueba para comprobar que se ve bien lo que haces.

f. Grábate por etapas y corta la grabación al finalizar cada una. Puedes tener un papel con el guion encima de la mesa, pero ¡intenta no leerlo todo!

Resumen gramatical

EL ALFABETO

A **a**	H **hache**	Ñ **eñe**	T **te**
B **be**	I **i**	O **o**	U **u**
C **ce**	J **jota**	P **pe**	V **uve**
D **de**	K **ka**	Q **cu**	W **uve doble**
E **e**	L **ele**	R **erre**	X **equis**
F **efe**	M **eme**	RR **erre doble**	Y **ye**
G **ge**	N **ene**	S **ese**	Z **zeta**

! En español, los nombres de las letras son femeninos: **la** be, **la** equis, **la** ele.

LA PRONUNCIACIÓN

B - V

La **b** y la **v** se pronuncian igual: **barco**, **vivir**. [b]

C - QU

La **c** delante de	**a** **o** **u**	se pronuncia como	**casa** [k] **comida** [k] **Curro** [k]
La **qu** delante de	**e** **i**	se pronuncia como	**queso** [k] **equis** [k]

C - Z

La **c** delante de	**e** **i**	se pronuncia como	**once** [θ] **cinco** [θ]
La **z** delante de	**a** **o** **u**	se pronuncia como	**pizarra** [θ] **zoo** [θ] **zumo** [θ]

G - J

La **g** delante de	**e** **i**	se pronuncia como	**gente** [x] **elegir** [x]
La **j** delante de	**a** **o** **u**	se pronuncia como	**jamón** [x] **jota** [x] **jugo** [x]

! También existen palabras con **j** delante de **e** o **i**: **jefe**, **jirafa**.

G - GU

La **g** delante de	**a** **o** **u**	se pronuncia como	**gato** [g] **gota** [g] **gustar** [g]

La **gu** delante de	**e** **i**	se pronuncia como	**portugués** [g] **guitarra** [g]

H

La **h** no se pronuncia: **hola**.

R

Entre vocales, la **r** se pronuncia como un sonido débil: **cultura**. [r]
Se pronuncia como sonido un fuerte cuando va a principio de una palabra y cuando se escribe **rr**: **Roma**, **perro**. [r]

LOS NÚMEROS

0 cero	15 quince	30 treinta	200 doscientos
1 uno	16 dieciséis	31 treinta y uno	300 trescientos
2 dos	17 diecisiete	32 treinta y dos	400 cuatrocientos
3 tres	18 dieciocho	33 treinta y tres	500 quinientos
4 cuatro	19 diecinueve	…	600 seiscientos
5 cinco	20 veinte	40 cuarenta	700 setecientos
6 seis	21 veintiuno	41 cuarenta y uno	800 ochocientos
7 siete	22 veintidós	…	900 novecientos
8 ocho	23 veintitrés	50 cincuenta	1000 mil
9 nueve	24 veinticuatro	60 sesenta	2000 dos mil
10 diez	25 veinticinco	70 setenta	…
11 once	26 veintiséis	80 ochenta	10 000 diez mil
12 doce	27 veintisiete	90 noventa	100 000 cien mil
13 trece	28 veintiocho	100 cien	1 000 000 un millón
14 catorce	29 veintinueve	101 ciento uno/a	

Resumen gramatical

LOS ORDINALES

Masculino	Femenino
1.º → primero / primer	1.ª → primera
2.º → segundo	2.ª → segunda
3.º → tercero / tercer	3.ª → tercera
4.º → cuarto	4.ª → cuarta
5.º → quinto	5.ª → quinta
6.º → sexto	6.ª → sexta
7.º → séptimo	7.ª → séptima
8.º → octavo	8.ª → octava
9.º → noveno	9.ª → novena
10.º → décimo	10.ª → décima

Delante de un nombre masculino singular, se usan:
primer → *Sarai ganó su primer título a los 14 años.*
tercer → *El miércoles es el tercer día de la semana.*

EL GÉNERO EN LOS NOMBRES Y EN LOS ADJETIVOS

Terminación en...

-o **masculino**		-a **femenino**
chic**o**	→	chic**a**
buen**o**	→	buen**a**

Terminación en...

-e **masculino**		-e **femenino**
estudiant**e**	→	estudiant**e**
canadiens**e**	→	canadiens**e**

Terminación en...

consonante **masculino**		-a **femenino**
profeso**r**	→	profesor**a**
españo**l**	→	español**a**

consonante **masculino**		-a **femenino**
inglé**s**	→	ingles**a**
alemá**n**	→	aleman**a**

EL PLURAL EN LOS NOMBRES Y EN LOS ADJETIVOS

Terminación en...

vocal **singular**		+ s **plural**
chic**o**	→	chico**s**
chic**a**	→	chica**s**
estudiant**e**	→	estudiante**s**

Terminación en...

consonante **singular**		+ es **plural**
profeso**r**	→	profesor**es**
españo**l**	→	español**es**
inglé**s**	→	ingles**es**
alemá**n**	→	aleman**es**

LOS ARTÍCULOS

Indeterminados

	MASCULINO	FEMENINO
SINGULAR	**un** chico	**una** chica
PLURAL	**unos** chicos	**unas** chicas

Los usamos para hablar de algo que se menciona por primera vez.

→ *Mateo es un chico argentino amigo de Raúl.*

→ *¿Compramos unas manzanas?*

Determinados

	MASCULINO	FEMENINO
SINGULAR	**el** chico	**la** chica
PLURAL	**los** chicos	**las** chicas

Los usamos para hablar de algo que ya se ha mencionado antes o que se conoce.

→ *¿Dónde está el chico argentino?*

→ *Me he comido todas las manzanas.*

! **a + el = al** → *¿Vamos al gimnasio?*
de + el = del → *La comida del colegio me gusta mucho.*

LOS CUANTIFICADORES

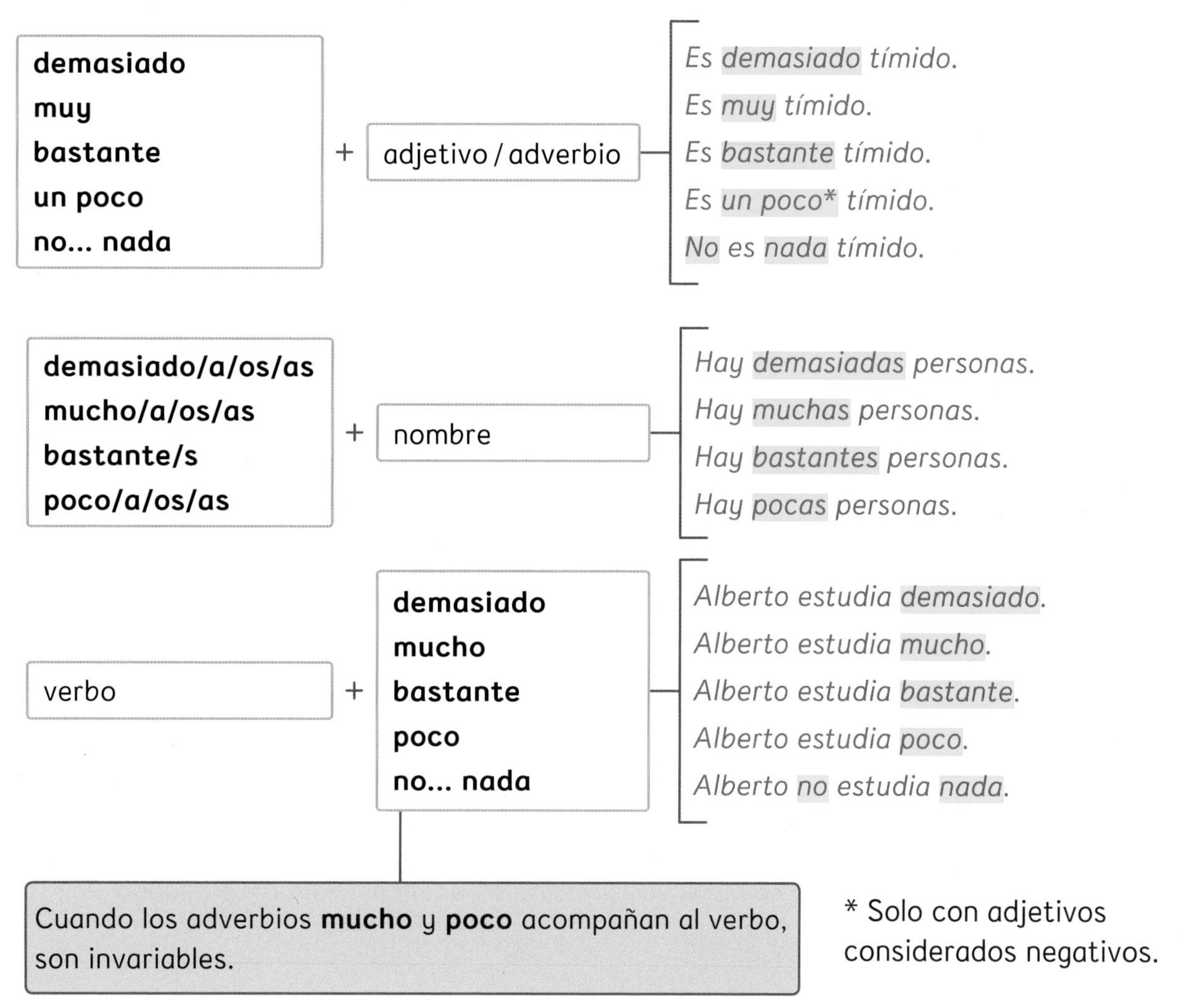

* Solo con adjetivos considerados negativos.

Resumen gramatical

LOS POSESIVOS ÁTONOS

Los adjetivos posesivos indican pertenencia o relación personal.
Se colocan delante del sustantivo.

SINGULAR		PLURAL	
MASCULINO	**FEMENINO**	**MASCULINO**	**FEMENINO**
mi amigo	**mi** amiga	**mis** amigos	**mis** amigas
tu amigo	**tu** amiga	**tus** amigos	**tus** amigas
su amigo	**su** amiga	**sus** amigos	**sus** amigas
nuestro amigo	**nuestra** amiga	**nuestros** amigos	**nuestras** amigas
vuestro amigo	**vuestra** amiga	**vuestros** amigos	**vuestras** amigas
su amigo	**su** amiga	**sus** amigos	**sus** amigas

- Los posesivos **su / sus** pueden referirse a **él**, **ella**, **usted**, **ellos**, **ellas** o **ustedes**.
- Los posesivos correspondientes a **nosotros** y **vosotros** concuerdan en género y número.

LOS PRONOMBRES POSESIVOS TÓNICOS

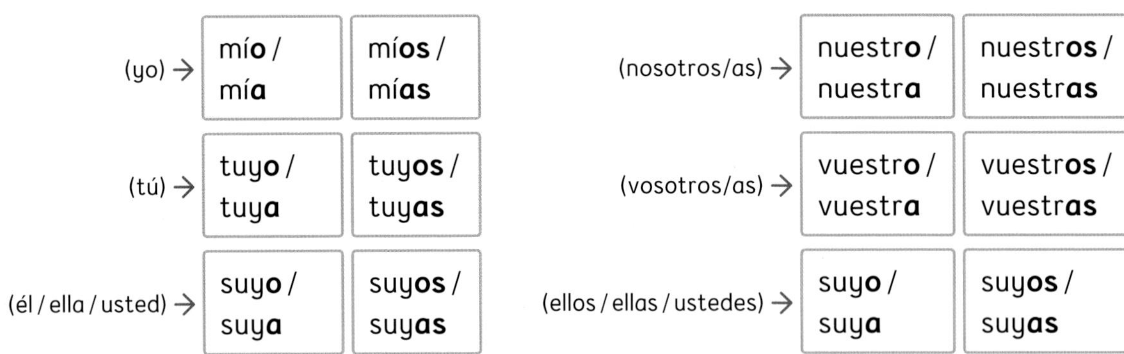

(yo) →	mí**o** / mí**a**	mí**os** / mí**as**	(nosotros/as) →	nuestr**o** / nuestr**a**	nuestr**os** / nuestr**as**
(tú) →	tuy**o** / tuy**a**	tuy**os** / tuy**as**	(vosotros/as) →	vuestr**o** / vuestr**a**	vuestr**os** / vuestr**as**
(él / ella / usted) →	suy**o** / suy**a**	suy**os** / suy**as**	(ellos / ellas / ustedes) →	suy**o** / suy**a**	suy**os** / suy**as**

→ ● *¿De quién es este bolígrafo?*
　○ *Mío.*

→ ● *¿De quién son estos libros?*
　○ *Míos.*

Cuando se usan para no repetir un nombre, van precedidos de un artículo determinado:

→ ● *Mi escuela era muy pequeña, ¿y la tuya?* (la tuya = tu escuela)
　○ *La mía era muy grande.* (la mía = mi escuela)

LOS DEMOSTRATIVOS

	MASCULINO	FEMENINO	NEUTRO
CERCA DE QUIEN HABLA →	est**e** / est**os**	est**a** / est**as**	est**o**
CERCA DE QUIEN ESCUCHA →	es**e** / es**os**	es**a** / es**as**	es**o**
LEJOS DE LOS DOS →	es**e** / es**os** aquel / aquell**os**	es**a** / es**as** aquell**a** / aquell**as**	es**o** aquell**o**

Los demostrativos sirven para situar algo en el espacio:

→ • *¿Cómo se dice esto en español?*
  ◦ *Falda.*

Y en el tiempo:

› *Esta semana no he tenido clase.*

LOS PRONOMBRES DE CD

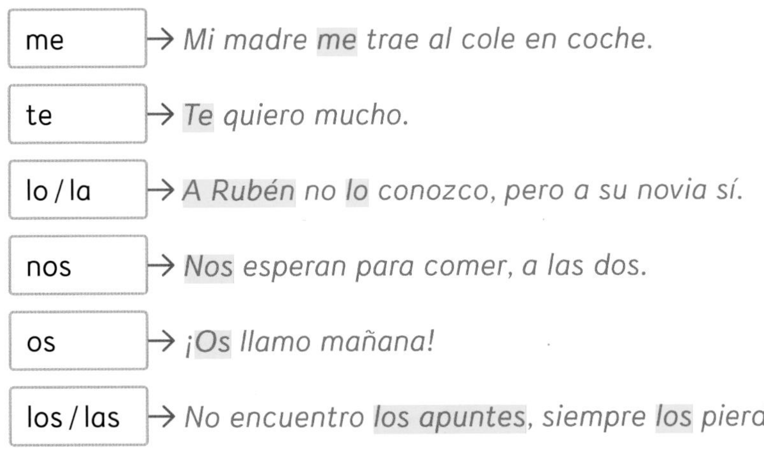

me	→ *Mi madre me trae al cole en coche.*
te	→ *Te quiero mucho.*
lo / la	→ *A Rubén no lo conozco, pero a su novia sí.*
nos	→ *Nos esperan para comer, a las dos.*
os	→ *¡Os llamo mañana!*
los / las	→ *No encuentro los apuntes, siempre los pierdo.*

Utilizamos los pronombres personales para evitar la repetición del CD cuando este es conocido por los hablantes.

Estos pantalones los he comprado hoy.

Se sitúan siempre delante del verbo (excepto con el infinitivo, el gerundio y el imperativo).

Las películas de acción siempre voy a verlas al cine. = Las películas de acción siempre las voy a ver al cine.

Los complementos directos que hacen referencia a una persona van precedidos por la preposición **a**.

→ *¿Ves la escuela? Es ese edificio que está al lado del parque.*

→ *¿Ves a Laura? Hay demasiada gente aquí.*

→ *Dalí pintó 17 cuadros con su hermana.*

→ *Dalí pintó a su hermana en varios cuadros.*

→ *¡Ayer vi un mono en la calle!*

→ *Ayer vi a Álex.*

Resumen gramatical

LOS PRONOMBRES DE CI

Los pronombres de CI se sitúan siempre delante del verbo, excepto con el infinitivo, el gerundio y el imperativo.

Cuando el complemento indirecto aparece antes del verbo, el pronombre de CI es obligatorio.

A Marta le han comprado una cámara.
(A Marta = CI)

* Al contrario de lo que sucede con los pronombres de CD, el pronombre de complemento indirecto se usa también cuando el CI está en la frase, después del verbo.

Le han comprado una cámara a Marta.
(a Marta = CI)

me	→ *¿Me das un chicle?*
te	→ *Te he enviado un email.*
le	→ *Le he regalado un libro a Pol.**
nos	→ *Nos han regalado un viaje a Roma.*
os	→ *Os recomiendo esta película, es divertidísima.*
les	→ *Les he dado mi bici a mis primas.**

LA COMBINACIÓN DE PRONOMBRES DE CD Y CI

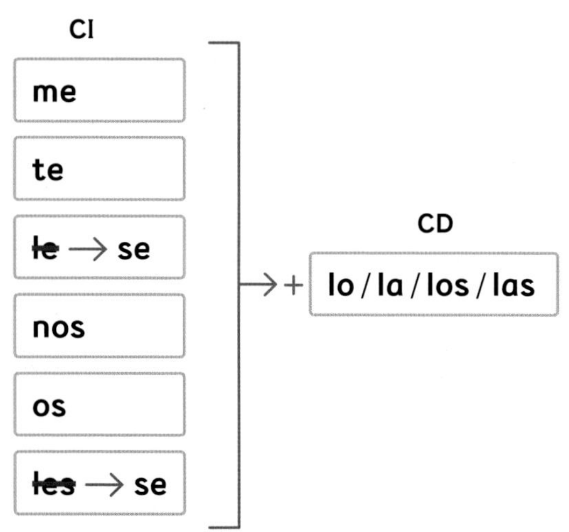

→ *¿Te gusta? Me lo han comprado mis abuelos en Argentina.*

→ *Las pulseras, nos las hizo nuestra prima.*

→ *¿Ese collar te lo regaló mi madre?*

le / les + lo → **se lo**
le / les + la → **se la**
le / les + los → **se los**
le / les + las → **se las**

- *¿Le has dado el regalo a tu madre?*
- *No, se lo voy a dar esta tarde.*

LAS FRASES INTERROGATIVAS

En español, ponemos un signo de interrogación al principio y al final de la pregunta.

→ *¿Cómo te llamas?*

Para formular preguntas, utilizamos:

- **qué** → *¿Qué comes? ¿Qué lenguas hablas?*
- **quién, quiénes** → *¿Quién es ese chico? ¿Quiénes son tus amigos?*
- **cuál, cuáles** → *¿Cuál es tu color favorito? ¿Cuáles son tus bolígrafos?*
- **cómo** → *¿Cómo se llama tu hermana? ¿Cómo estás?*
- **dónde** → *¿Dónde vives? ¿Dónde está el patio de la escuela?*
- **cuándo** → *¿Cuándo tenemos el examen de Matemáticas? ¿Cuándo llegan tus padres?*
- **cuánto/a/os/as** → *¿Cuánto tiempo tenemos? ¿Cuánta gente viene a la fiesta? ¿Cuántos amigos tienes en clase? ¿Cuántas veces haces deporte a la semana?*

! Todos los interrogativos se escriben con tilde.

- **Cuánto**/a/**os**/**as** y **quién**/**es** concuerdan con el nombre o el verbo al que acompañan.

→ *¿Cuánto dinero tienes?*

→ *¿Cuántas galletas quieres?*

→ *¿Quién es el chico rubio?*

LAS PREPOSICIONES DE LOCALIZACIÓN Y MOVIMIENTO

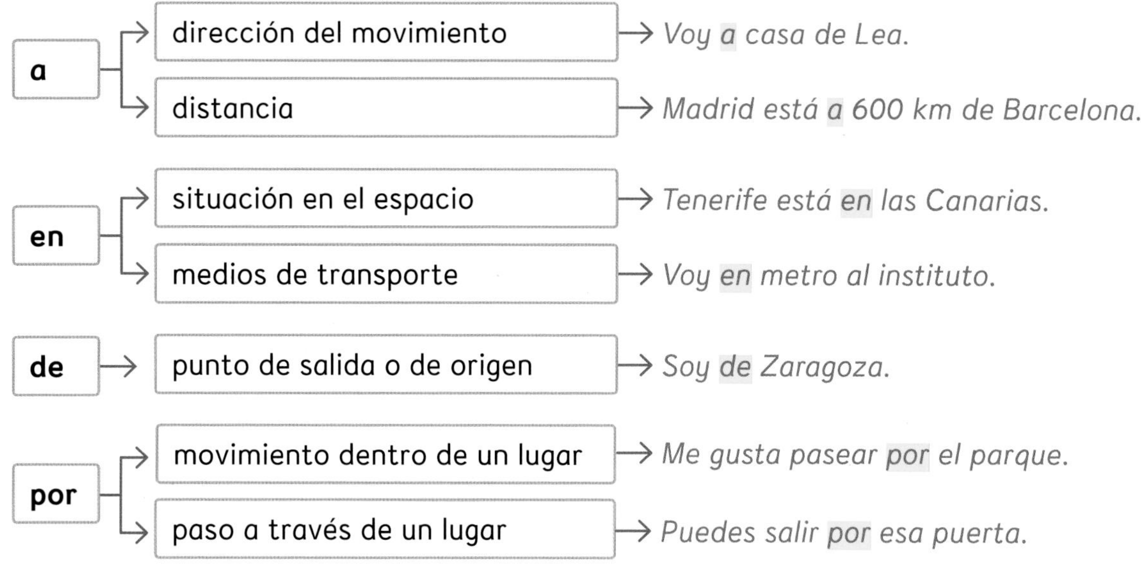

Resumen gramatical

LAS PREPOSICIONES PARA Y POR

Usos de para

finalidad u objetivo	→ *Internet es muy útil para buscar información.* → *Aprendo italiano para poder hablar con gente durante mis próximas vacaciones.*
destinatario	→ *El regalo es para mi madre.* → *¿Para quién es esta carta?*

Usos de por

una parte del día	→ *No desayuno casi nada por la mañana.* → *Me gusta leer por la noche.*
lugar de paso	→ *Tienes que ir por el parque.* → *Es mejor ir por la autopista.*
medio	→ *Te he llamado por teléfono.* → *Envíame las fotos por email.*

LA COMPARACIÓN

Para comparar, en español utilizamos las siguientes estructuras:

• **de superioridad:**

más	+ adjetivo + nombre	+ **que**
verbo	+ **más**	+ **que**

→ *España es más grande que Portugal.*
→ *En Madrid hay más museos que en Barcelona.*
→ *Jorge come más que Antón.*

• **de inferioridad:**

menos	+ adjetivo + nombre	+ **que**
verbo	+ **menos**	+ **que**

→ *Pontevedra está menos contaminada que Madrid.*
→ *En Barcelona hay menos museos que en Madrid.*
→ *Noemí duerme menos que Blanca.*

• **de igualdad:**

tanto/a/os/as	+ nombre	+ **como**	→ *¡Aquí hay tantos coches como en Madrid!*
tan	+ adjetivo	+ **como**	→ *Esta ciudad es tan bonita como Pontevedra.*
verbo	+ **tanto**	+ **como**	→ *Óscar estudia tanto como Ainara.*

el / la / los / las	mismo/a/os/as	+	sustantivo	+	(que)

→ *Duermo tantas horas como tú.* → *= Duermo las mismas horas que tú.*
→ *= Dormimos las mismas horas.*

→ *Tengo el mismo jersey que tú.*
→ *Julia y Alma van a la misma escuela.*
→ *¿Vamos a usar los mismos libros que el año pasado?*
→ *Luis y yo sacamos casi siempre las mismas notas.*

Además, existen algunos adjetivos y adverbios irregulares:

Adjetivos:	**Adverbios:**
~~más bueno/a/os/as~~ → **mejor/es**	~~más bien~~ → **mejor/es**
~~más malo/a/os/as~~ → **peor/es**	~~más mal~~ → **peor/es**

→ *El cine de mi barrio es mejor que este.*
→ *Pablo canta peor que Ana.*

EL SUPERLATIVO

- **Superlativo de superioridad**

el / la	+	nombre	+	más	+	adjetivo	+	(de)

→ *El país más grande del mundo es Rusia.*

- **Superlativo de inferioridad**

el / la	+	nombre	+	menos	+	adjetivo	+	(de)

→ *La provincia menos poblada de España es Soria.*

Existen algunos superlativos irregulares:
~~más bueno/a/os/as~~ → **mejor/es**
~~más malo/a/os/as~~ → **peor/es**

→ *Para mí, la peor asignatura es Matemáticas.*

Resumen gramatical

TAMBIÉN TAMPOCO

Para reaccionar ante los gustos de otras personas, utilizamos:

- **también**, **yo sí** para expresar acuerdo;
- **tampoco**, **yo no** para expresar desacuerdo.

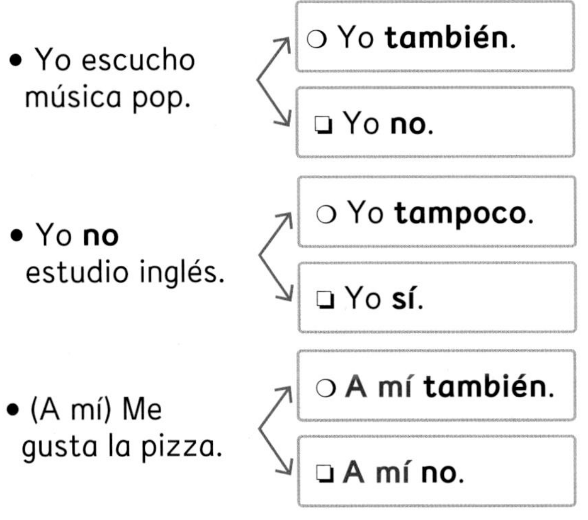

- Yo escucho música pop.
  - ❍ Yo **también**.
  - ❑ Yo **no**.
- Yo **no** estudio inglés.
  - ❍ Yo **tampoco**.
  - ❑ Yo **sí**.
- (A mí) Me gusta la pizza.
  - ❍ **A mí también**.
  - ❑ **A mí no**.
- (A mí) **No** me gustan los perros.
  - ❍ **A mí tampoco**.
  - ❑ **A mí sí**.

LA FRECUENCIA

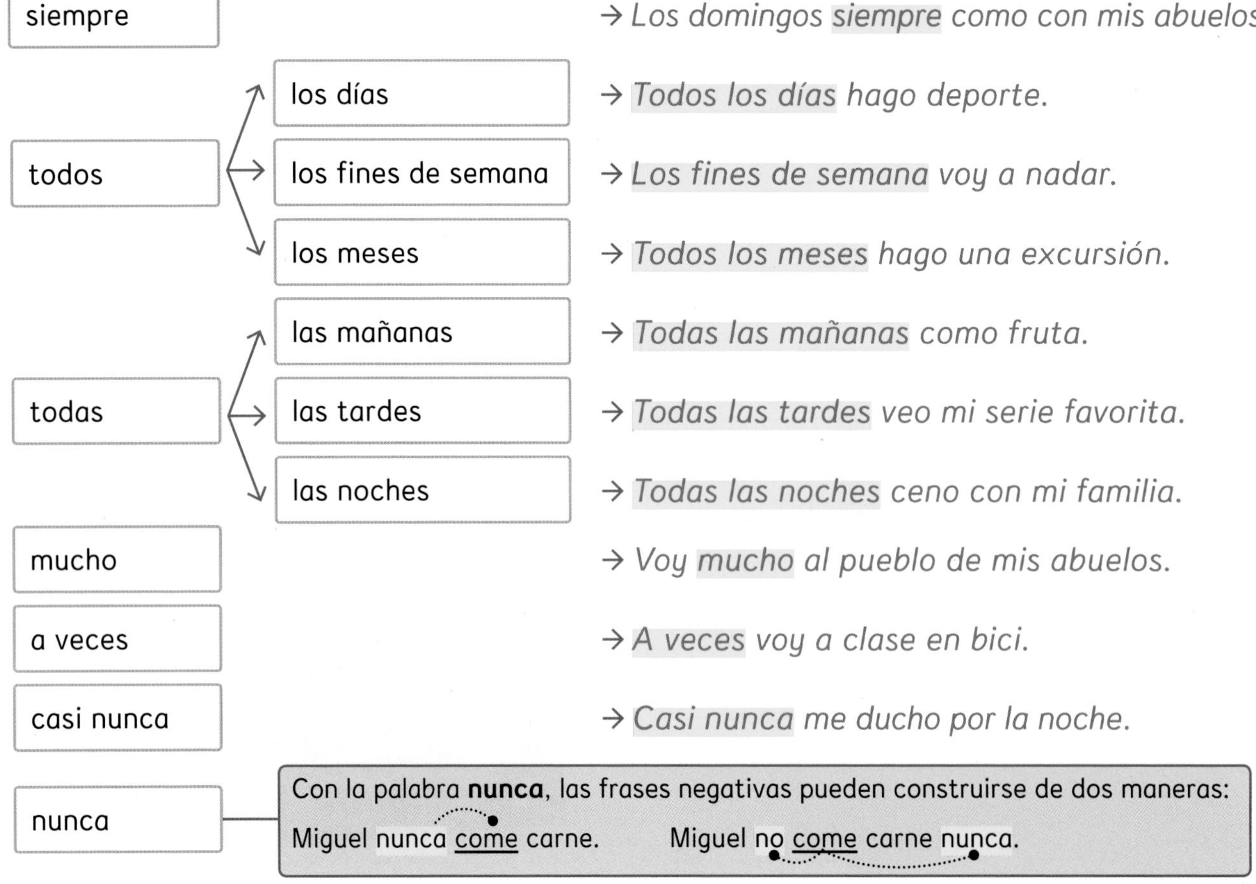

siempre		→ *Los domingos siempre como con mis abuelos.*
todos	los días	→ *Todos los días hago deporte.*
	los fines de semana	→ *Los fines de semana voy a nadar.*
	los meses	→ *Todos los meses hago una excursión.*
todas	las mañanas	→ *Todas las mañanas como fruta.*
	las tardes	→ *Todas las tardes veo mi serie favorita.*
	las noches	→ *Todas las noches ceno con mi familia.*
mucho		→ *Voy mucho al pueblo de mis abuelos.*
a veces		→ *A veces voy a clase en bici.*
casi nunca		→ *Casi nunca me ducho por la noche.*
nunca		Con la palabra **nunca**, las frases negativas pueden construirse de dos maneras: Miguel nunca come carne. Miguel no come carne nunca.

POSIBILIDAD Y PERMISO

Para expresar posibilidad o permiso, usamos:

poder	+ infinitivo

→ *En mi colegio puedes elegir muchas actividades extraescolares.*

→ ● *¿Podemos consultar dudas en internet durante la clase?* (permiso)

○ *Sí, podéis entrar en la plataforma de la escuela.* (permiso)

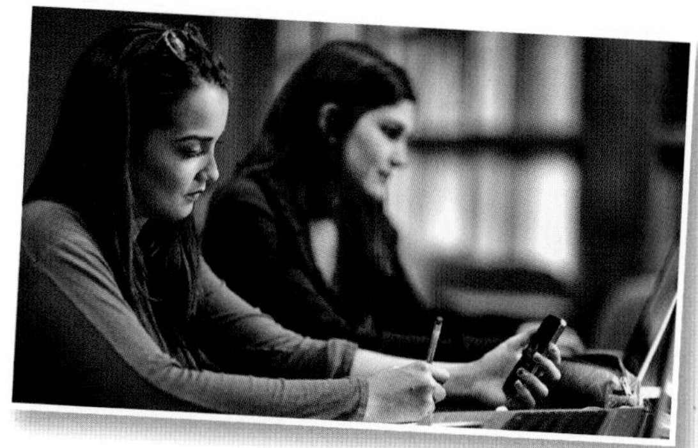

OBLIGACIÓN

Para expresar la obligación o la necesidad de hacer algo, normalmente usamos:

hay que	+ infinitivo

→ *Hay que llevar calculadora a la clase de Matemáticas.*

→ *¿Qué actividades hay que hacer para mañana?*

tener que	+ infinitivo

→ *Tienes que hacer los deberes todos los días.*

→ *Para aprender bien español, tengo que practicar mucho.*

PROHIBICIÓN

Para expresar prohibición, usamos:

no poder	+ infinitivo

→ *En la biblioteca no se puede hablar.*

→ *Por la noche no se puede poner la música muy alta.*

Resumen gramatical

EL PRESENTE DE INDICATIVO

En español, existen tres grupos de verbos: los verbos que terminan en **-ar**, en **-er** y en **-ir**.

LOS VERBOS REGULARES

Para conjugar un verbo regular en presente, tomamos la raíz del verbo y le añadimos las siguientes terminaciones:

	(HABLAR) habl-		(COMER) com-		(ESCRIBIR) escrib-	
(yo)		o		o		o
(tú)		as		es		es
(él / ella)		a		e		e
(nosotros/as)		amos		emos		imos
(vosotros/as)		áis		éis		ís
(ellos / ellas)		an		en		en

LOS VERBOS IRREGULARES

Algunos verbos mantienen las mismas terminaciones que los verbos regulares, pero presentan un cambio vocálico en la raíz.

	e → ie	o → ue	e → i
	MERENDAR	**DORMIR**	**VESTIRSE**
(yo)	meriendo	duermo	**me** visto
(tú)	meriendas	duermes	**te** vistes
(él / ella)	merienda	duerme	**se** viste
(nosotros/as)	merendamos	dormimos	**nos** vestimos
(vosotros/as)	merendáis	dormís	**os** vestís
(ellos / ellas)	meriendan	duermen	**se** visten

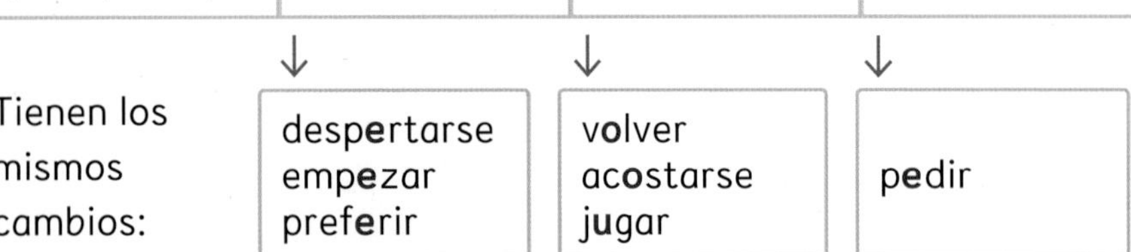

Tienen los mismos cambios:	despertarse empezar preferir	volver acostarse jugar	pedir

Y otros, como el verbo **ir**, son completamente irregulares.

(yo)	**voy**
(tú)	**vas**
(él / ella)	**va**

(nosotros/as)	**vamos**
(vosotros/as)	**vais**
(ellos / ellas)	**van**

LOS VERBOS REFLEXIVOS

Los verbos reflexivos se conjugan igual que los verbos regulares e irregulares.
La diferencia es que se añade un pronombre delante del verbo.

	LEVANTARSE	LAVARSE	DUCHARSE
(yo)	**me** levanto	**me** lavo	**me** ducho
(tú)	**te** levantas	**te** lavas	**te** duchas
(él / ella)	**se** levanta	**se** lava	**se** ducha
(nosotros/as)	**nos** levantamos	**nos** lavamos	**nos** duchamos
(vosotros/as)	**os** levantáis	**os** laváis	**os** ducháis
(ellos / ellas)	**se** levantan	**se** lavan	**se** duchan

! En los verbos reflexivos la terminación del verbo y el pronombre se refieren a la misma persona.

EL VERBO GUSTAR

Los verbos que expresan gustos, como **gustar** y **encantar**, se forman con un pronombre personal átono obligatorio.

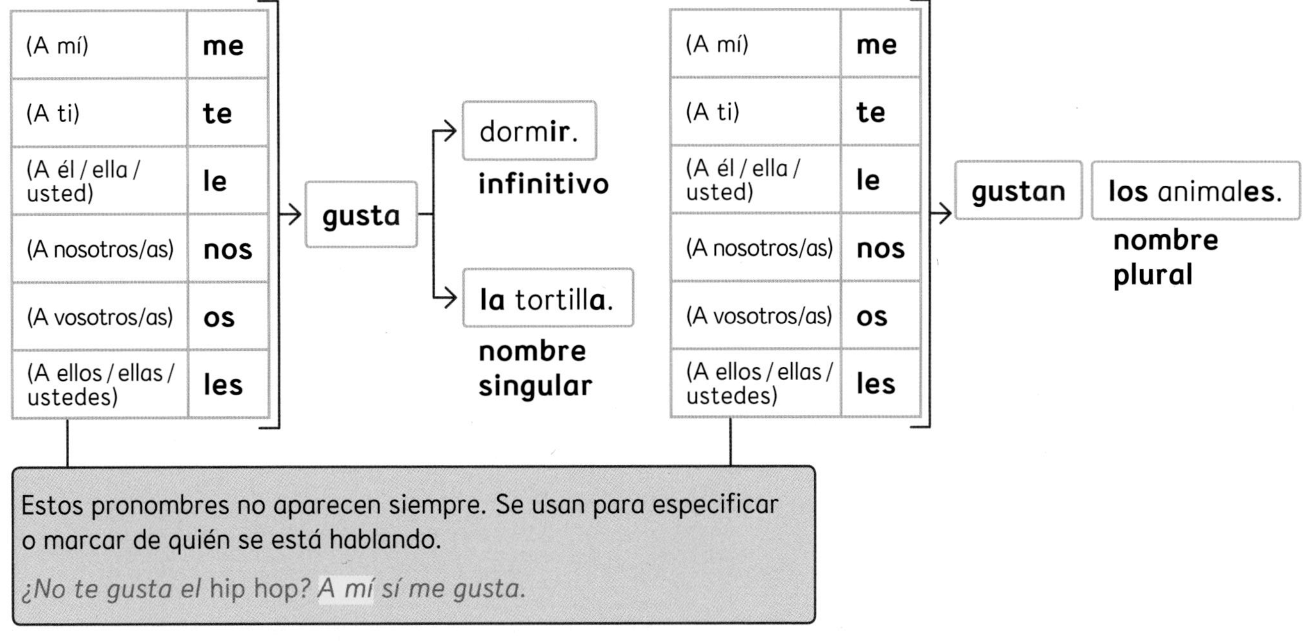

→ *Me gusta mucho el fútbol, pero no me gustan los partidos en la tele.*

→ *Me gusta mucho el fútbol, pero no me gusta ver los partidos en la tele.*

Resumen gramatical

HAY

El verbo **haber** en presente es invariable: **hay**.
Lo utilizamos para expresar la existencia de algo.

En mi armario **hay**

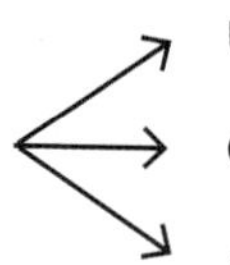

una camiseta.
dos camisetas.
ø camisetas.

! Después de **hay**, no se puede poner un artículo determinado.

→ *En mi armario, ~~hay la camiseta~~.*
→ *En mi habitación, hay una camiseta.*

LOS VERBOS SER Y ESTAR

• **Para hablar de una cualidad esencial (como el carácter)**

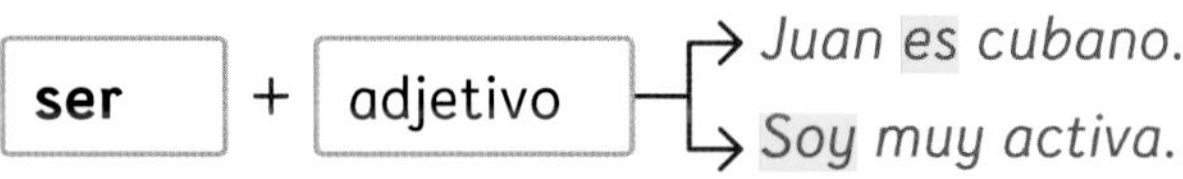

→ *Juan es cubano.*
→ *Soy muy activa.*

Ser también se utiliza para las características.
Barcelona es muy bonita.

• **Para hablar de un estado (como el estado de ánimo)**

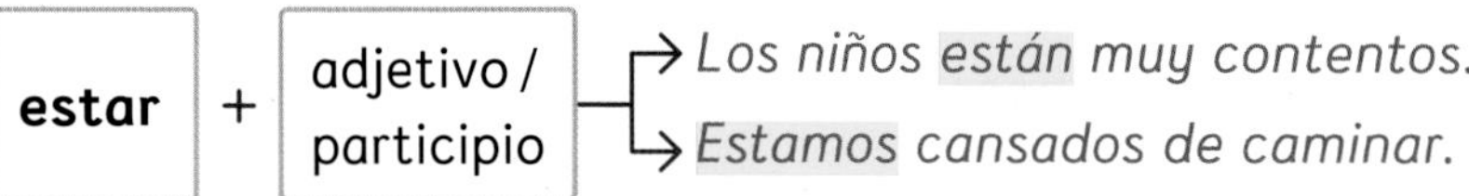

→ *Los niños están muy contentos.*
→ *Estamos cansados de caminar.*

Estar también se utiliza para situar en el espacio.
Mi habitación está aquí.

LOS VERBOS ESTAR Y HAY

Estar se usa con:

nombres con artículo determinado	→ *La universidad está cerca de su casa.*
nombres con posesivo	→ *Mi casa está en el centro del pueblo.*
nombres propios	→ *Madrid está lejos de París.*

Las frases con **estar** responden a la pregunta **¿dónde?**

Hay se usa con:

artículos indeterminados	→ *Cerca de mi casa hay un museo de ciencias.*
numerales	→ *En mi barrio hay dos escuelas.*
cuantificadores	→ *En mi barrio hay muchas tiendas pequeñas.*
nombres comunes sin artículo	→ *En mi barrio no hay cine.*

Las frases con **hay** responden a la pregunta **¿qué?**

EL CONTRASTE ENTRE IR / VENIR Y LLEVAR / TRAER

- **Contraste entre ir y venir**

ir	→	Moverse hacia cualquier lugar.
venir	→	Moverse hacia el lugar donde está el hablante.

- **Contraste entre llevar y traer**

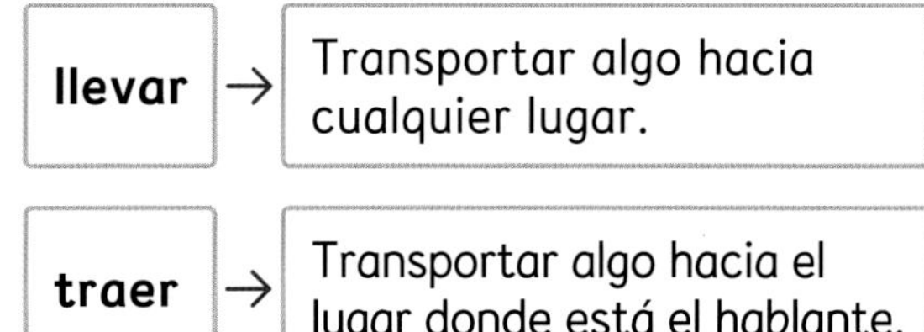

llevar	→	Transportar algo hacia cualquier lugar.
traer	→	Transportar algo hacia el lugar donde está el hablante.

EL PRETÉRITO PERFECTO

El pretérito perfecto se puede usar para hablar de acontecimientos acabados en el momento presente:

- Cuando no queremos situar ese acontecimiento en un momento determinado:
  → *He estado varias veces en esta tienda.*
- Cuando situamos ese acontecimiento en un período de tiempo que incluye el momento actual o está muy cerca de este:
  → *Hoy no he visto a Miguel.*

- **Formación del pretérito perfecto**

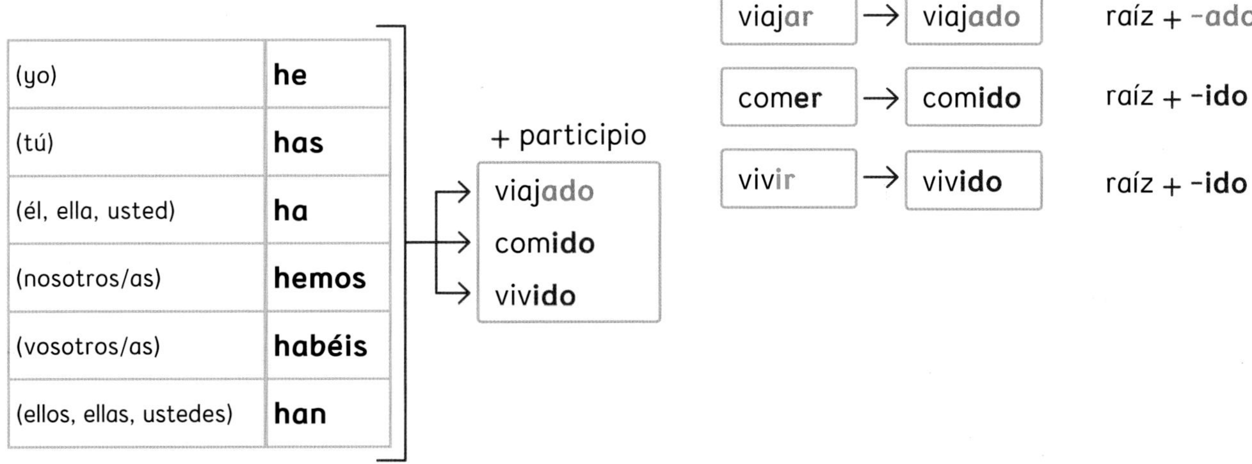

(yo)	**he**
(tú)	**has**
(él, ella, usted)	**ha**
(nosotros/as)	**hemos**
(vosotros/as)	**habéis**
(ellos, ellas, ustedes)	**han**

+ participio
→ viajado
→ comido
→ vivido

- **Formación del participio**

viajar	→	viajado	raíz + -ado
comer	→	comido	raíz + -ido
vivir	→	vivido	raíz + -ido

Algunos participios son irregulares:

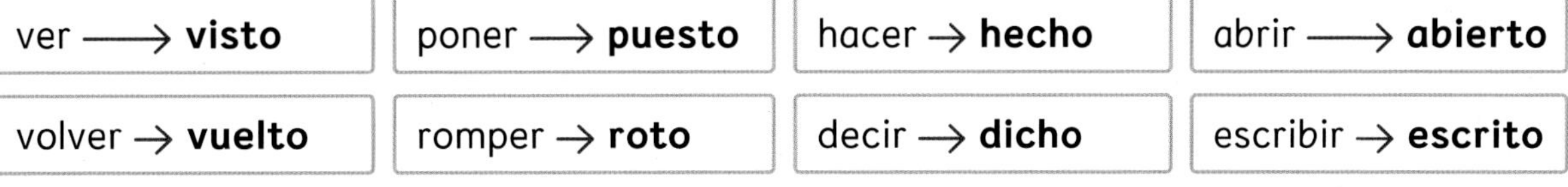

ver → **visto**	poner → **puesto**	hacer → **hecho**	abrir → **abierto**
volver → **vuelto**	romper → **roto**	decir → **dicho**	escribir → **escrito**

Resumen gramatical

- **Los marcadores temporales**

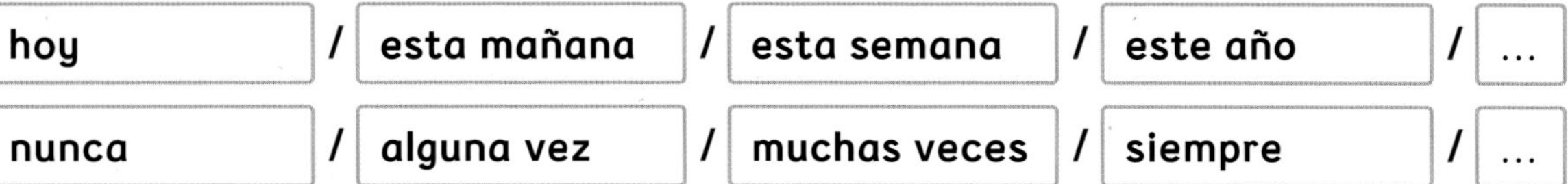

→ • *Este fin de semana he ido a un karaoke.*
  ∘ *Yo nunca he cantado en público, me da vergüenza.*

EL PRETÉRITO IMPERFECTO

VERBOS REGULARES

HABLAR	COMER	VIVIR
hablaba	comía	vivía
hablabas	comías	vivías
hablaba	comía	vivía
hablábamos	comíamos	vivíamos
hablabais	comíais	vivíais
hablaban	comían	vivían

VERBOS IRREGULARES

SER	IR	VER
era	**iba**	veía
eras	**ibas**	veías
era	**iba**	veía
éramos	**íbamos**	veíamos
erais	**ibais**	veíais
eran	**iban**	veían

Usos

El imperfecto se usa para hablar de una costumbre o una acción que se repite en el pasado. → *El año pasado iba al cine cada lunes.*

También se usa para describir a personas, lugares y situaciones en el pasado. → *Yo antes llevaba el pelo largo.*

Marcadores temporales

antes → *Antes hacía más deporte.*

en la antigüedad → *En la antigüedad no había electricidad.*

en los años... → *En los años 80 la gente no tenía móviles.*

en la época de... → *En la época de mis abuelos en las casas no había televisión.*

en esa época → *En esa época no había tanta contaminación.*

EL PRETÉRITO INDEFINIDO

Formación

Algunos verbos tienen una raíz irregular en el pretérito indefinido, pero las terminaciones son idénticas entre ellas.

PINTAR	NACER	VIVIR
pinté	nací	viví
pintaste	naciste	viviste
pintó	nació	vivió
pintamos	nacimos	vivimos
pintasteis	nacisteis	vivisteis
pintaron	nacieron	vivieron

La **sílaba tónica** de los verbos regulares se encuentra en la terminación.

DAR
di
diste
dio
dimos
disteis
dieron

El verbo **dar** toma las terminaciones de los verbos en **-er** e **-ir**, pero sin tilde.

CONSEGUIR	MORIR
conseguí	morí
conseguiste	moriste
consiguió	murió
conseguimos	morimos
conseguisteis	moristeis
consiguieron	murieron

estar	→	**estuv-**	hacer	→	**hic-**
tener	→	**tuv-**	decir	→	**dij-**
saber	→	**sup-**	venir	→	**vin-**
poder	→	**pud-**	querer	→	**quis-**
poner	→	**pus-**	traer	→	**traj-**

ESTAR	HACER	DECIR
estuve	hice	dije
estuviste	hiciste	dijiste
estuvo	hizo	dijo
estuvimos	hicimos	dijimos
estuvisteis	hicisteis	dijisteis
estuvieron	hicieron	dijeron

La 3.ª persona del plural de **decir** es diferente: dij**eron**.

SER / IR
fui
fuiste
fue
fuimos
fuisteis
fueron

El pretérito indefinido de **ser** e **ir** es idéntico.

Uso

Usamos el pretérito indefinido para hablar de acciones pasadas.

→ *A los 25 años, Dalí conoció a Gala.*

→ *Ayer estuvimos todo el día en la playa.*

→ *El año pasado hice un curso de windsurf y fue increíble.*

→ *¿Por qué no viniste a la excursión el sábado?*

Resumen gramatical

Marcadores temporales

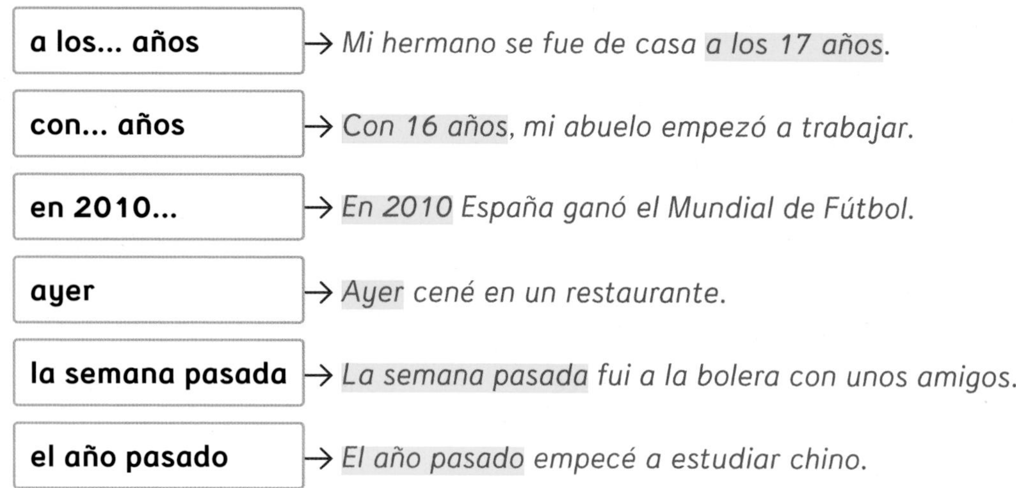

a los... años	→ *Mi hermano se fue de casa a los 17 años.*
con... años	→ *Con 16 años, mi abuelo empezó a trabajar.*
en 2010...	→ *En 2010 España ganó el Mundial de Fútbol.*
ayer	→ *Ayer cené en un restaurante.*
la semana pasada	→ *La semana pasada fui a la bolera con unos amigos.*
el año pasado	→ *El año pasado empecé a estudiar chino.*

ESTAR + GERUNDIO

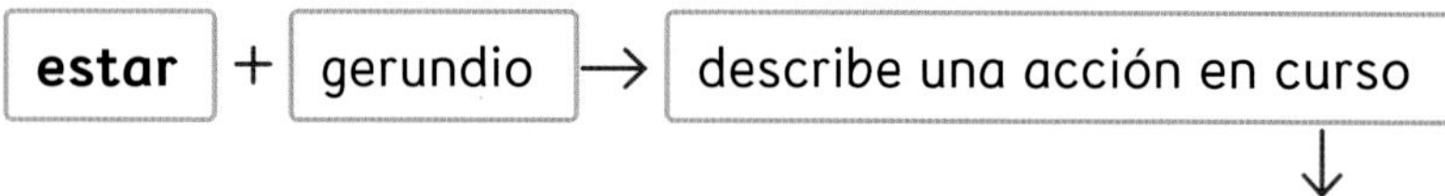

estar + gerundio → describe una acción en curso

● *Mario, ¿quieres quedar esta tarde?*
○ *No, no puedo, estoy estudiando.*

Formación del gerundio

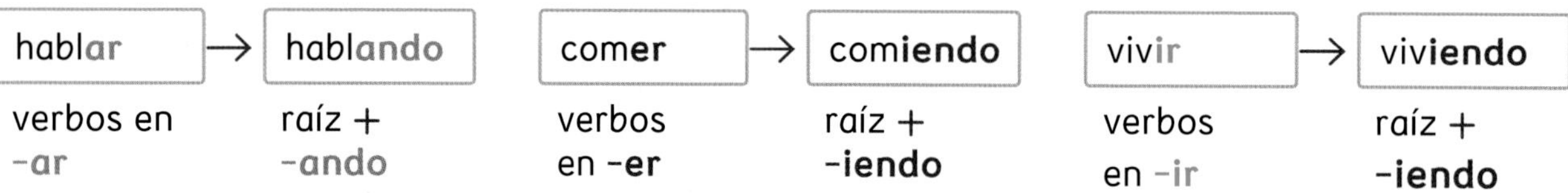

habl**ar**	→	habl**ando**	comer	→	com**iendo**	viv**ir**	→	viv**iendo**
verbos en -ar		raíz + -ando	verbos en -er		raíz + -iendo	verbos en -ir		raíz + -iendo

Algunos gerundios irregulares:

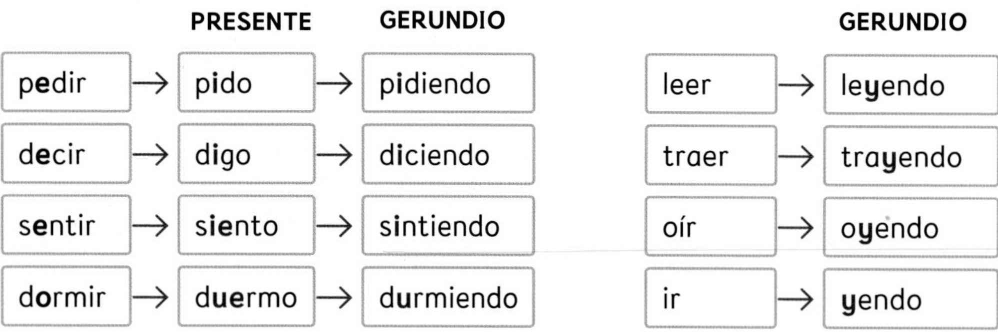

	PRESENTE	GERUNDIO		GERUNDIO
pedir →	pido →	pidiendo	leer →	leyendo
decir →	digo →	diciendo	traer →	trayendo
sentir →	siento →	sintiendo	oír →	oyendo
dormir →	duermo →	durmiendo	ir →	yendo

LA DURACIÓN

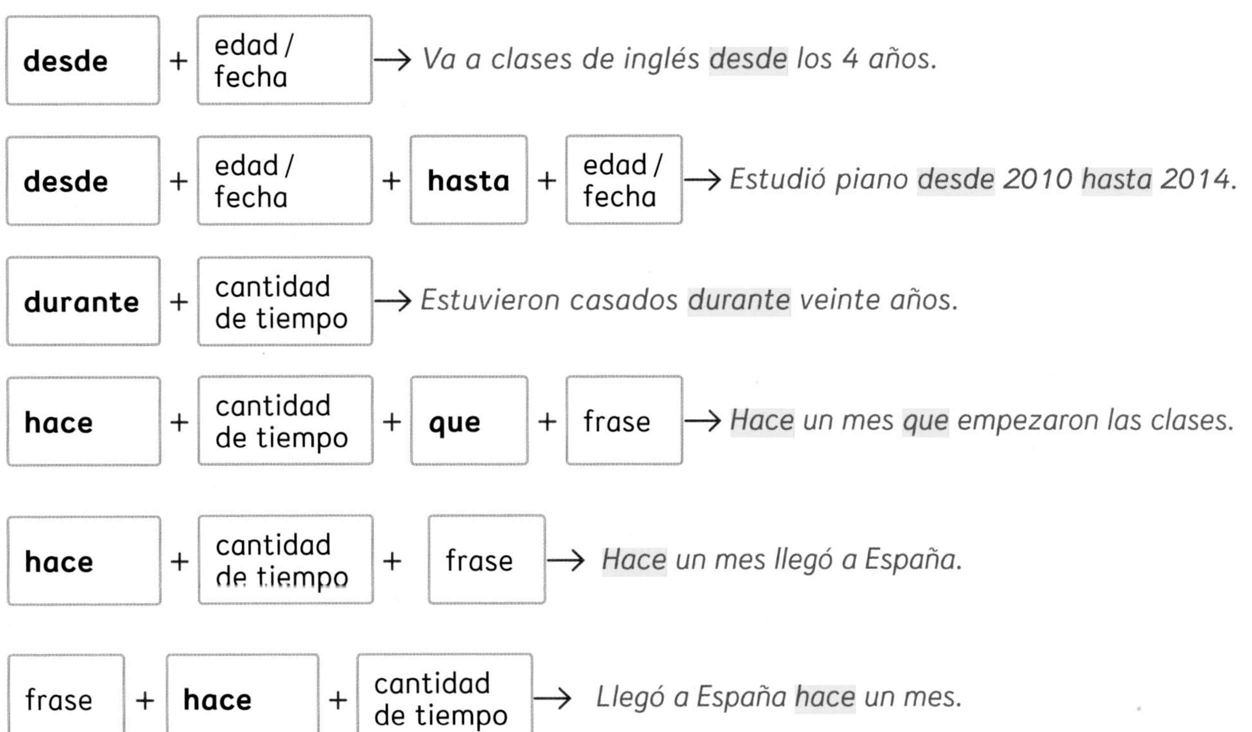
desde + edad / fecha → Va a clases de inglés desde los 4 años.
desde + edad / fecha + hasta + edad / fecha → Estudió piano desde 2010 hasta 2014.
durante + cantidad de tiempo → Estuvieron casados durante veinte años.
hace + cantidad de tiempo + que + frase → Hace un mes que empezaron las clases.
hace + cantidad de tiempo + frase → Hace un mes llegó a España.
frase + hace + cantidad de tiempo → Llegó a España hace un mes.

TABLAS DE VERBOS

Infinitivo	Presente de indicativo		Pretérito perfecto	
Verbos regulares				
HABLAR	hablo hablas habla	hablamos habláis hablan	he hablado has hablado ha hablado	hemos hablado habéis hablado han hablado
APRENDER	aprend**o** aprend**es** aprend**e**	aprend**emos** aprend**éis** aprend**en**	he aprend**ido** has aprend**ido** ha aprend**ido**	hemos aprend**ido** habéis aprend**ido** han aprend**ido**
VIVIR	vivo vives vive	vivimos vivís viven	he viv**ido** has viv**ido** ha viv**ido**	hemos viv**ido** habéis viv**ido** han viv**ido**
Verbos con diptongo: E → IE; O → UE				
PENSAR	p**ie**nso p**ie**nsas p**ie**nsa	pensamos pensáis p**ie**nsan	he pensado has pensado ha pensado	hemos pensado habéis pensado han pensado
ENTENDER	ent**ie**ndo ent**ie**ndes ent**ie**nde	entendemos entendéis ent**ie**nden	he entendido has entendido ha entendido	hemos entendido habéis entendido han entendido
MOSTRAR	m**ue**stro m**ue**stras m**ue**stra	mostramos mostráis m**ue**stran	he mostrado has mostrado ha mostrado	hemos mostrado habéis mostrado han mostrado
CONTAR	c**ue**nto c**ue**ntas c**ue**nta	contamos contáis c**ue**ntan	he contado has contado ha contado	hemos contado habéis contado han contado
Verbos con alternancia vocálica: E → I				
PEDIR	pido pides pide	pedimos pedís piden	he pedido has pedido ha pedido	hemos pedido habéis pedido han pedido
Verbos con alternancia vocálica: E → IE / I				
SENTIR	s**ie**nto s**ie**ntes s**ie**nte	sentimos sentís s**ie**nten	he sentido has sentido ha sentido	hemos sentido habéis sentido han sentido
Verbos con alternancia vocálica: O → UE / U				
DORMIR	d**ue**rmo d**ue**rmes d**ue**rme	dormimos dormís d**ue**rmen	he dormido has dormido ha dormido	hemos dormido habéis dormido han dormido
Verbos en -acer / -ecer / -ocer / -ucir: C → ZC				
APARECER	apare**zc**o apareces aparece	aparecemos aparecéis aparecen	he aparecido has aparecido ha aparecido	hemos aparecido habéis aparecido han aparecido
Verbos en -ducir: C → ZC; C → J				
CONDUCIR	condu**zc**o conduces conduce	conducimos conducís conducen	he conducido has conducido ha conducido	hemos conducido habéis conducido han conducido

Pretérito imperfecto		Pretérito indefinido		Participio	Gerundio
hablaba hablabas hablaba	hablábamos hablabais hablaban	hablé hablaste habló	hablamos hablasteis hablaron	hablado	hablando
aprend**ía** aprend**ías** aprend**ía**	aprend**íamos** aprend**íais** aprend**ían**	aprend**í** aprend**iste** aprend**ió**	aprend**imos** aprend**isteis** aprend**ieron**	aprend**ido**	aprend**iendo**
viv**ía** viv**ías** viv**ía**	viv**íamos** viv**íais** viv**ían**	viv**í** viv**iste** viv**ió**	viv**imos** viv**isteis** viv**ieron**	viv**ido**	viv**iendo**
pensaba pensabas pensaba	pensábamos pensabais pensaban	pensé pensaste pensó	pensamos pensasteis pensaron	pensado	pensando
entendía entendías entendía	entendíamos entendíais entendían	entendí entendiste entendió	entendimos entendisteis entendieron	entendido	entendiendo
mostraba mostrabas mostraba	mostrábamos mostrabais mostraban	mostré mostraste mostró	mostramos mostrasteis mostraron	mostrado	mostrando
contaba contabas contaba	contábamos contabais contaban	conté contaste contó	contamos contasteis contaron	contado	contando
pedía pedías pedía	pedíamos pedíais pedían	pedí pediste **pi**dió	pedimos pedisteis **pi**dieron	pedido	**pi**diendo
sentía sentías sentía	sentíamos sentíais sentían	sentí sentiste **si**ntió	sentimos sentisteis **si**ntieron	sentido	**si**ntiendo
dormía dormías dormía	dormíamos dormíais dormían	dormí dormiste **du**rmió	dormimos dormisteis **du**rmieron	dormido	**du**rmiendo
aparecía aparecías aparecía	aparecíamos aparecíais aparecían	aparecí apareciste apareció	aparecimos aparecisteis aparecieron	aparecido	apareciendo
conducía conducías conducía	conducíamos conducíais conducían	condu**je** condu**j**iste condu**j**o	condu**j**imos condu**j**isteis condu**j**eron	conducido	conduciendo

TABLAS DE VERBOS

Infinitivo	Presente de indicativo		Pretérito perfecto	
Algunos verbos irregulares				
CAER	**caigo** caes cae	caemos caéis caen	he caído has caído ha caído	hemos caído habéis caído han caído
DAR	**doy** das da	damos dais dan	he dado has dado ha dado	hemos dado habéis dado han dado
DECIR	**digo** dices dice	decimos decís dicen	he **dicho** has **dicho** ha **dicho**	hemos **dicho** habéis **dicho** han **dicho**
ESTAR	**estoy** estás está	estamos estáis están	he estado has estado ha estado	hemos estado habéis estado han estado
HABER	**he** **has** **ha**	**hemos** **habéis** **han**	– – –	– – –
HACER	**hago** haces hace	hacemos hacéis hacen	he **hecho** has **hecho** ha **hecho**	hemos **hecho** habéis **hecho** han **hecho**
IR	**voy** **vas** **va**	**vamos** **vais** **van**	he ido has ido ha ido	hemos ido habéis ido han ido
OÍR	**oigo** **oyes** **oye**	oímos oís **oyen**	he oído has oído ha oído	hemos oído habéis oído han oído
PODER	**pue**do **pue**des **pue**de	podemos podéis **pue**den	he podido has podido ha podido	hemos podido habéis podido han podido
PONER	**pongo** pones pone	ponemos ponéis ponen	he **puesto** has **puesto** ha **puesto**	hemos **puesto** habéis **puesto** han **puesto**
QUERER	qu**ie**ro qu**ie**res qu**ie**re	queremos queréis qu**ie**ren	he querido has querido ha querido	hemos querido habéis querido han querido
SABER	**sé** sabes sabe	sabemos sabéis saben	he sabido has sabido ha sabido	hemos sabido habéis sabido han sabido
SALIR	**salgo** sales sale	salimos salís salen	he salido has salido ha salido	hemos salido habéis salido han salido
SER	**soy** **eres** **es**	**somos** **sois** **son**	he sido has sido ha sido	hemos sido habéis sido han sido
TENER	**tengo** t**ie**nes t**ie**ne	tenemos tenéis t**ie**nen	he tenido has tenido ha tenido	hemos tenido habéis tenido han tenido
TRAER	**traigo** traes trae	traemos traéis traen	he traído has traído ha traído	hemos traído habéis traído han traído
VENIR	**vengo** v**ie**nes v**ie**ne	venimos venís v**ie**nen	he venido has venido ha venido	hemos venido habéis venido han venido
VER	**veo** ves ve	vemos veis ven	he **visto** has **visto** ha **visto**	hemos **visto** habéis **visto** han **visto**

Pretérito imperfecto		Pretérito indefinido		Participio	Gerundio
caía	caíamos	caí	caímos		
caías	caíais	caíste	caísteis	caído	cayendo
caía	caían	cayó	cayeron		
daba	dábamos	**di**	**dimos**		
dabas	dabais	**diste**	**disteis**	dado	dando
daba	daban	**dio**	**dieron**		
decía	decíamos	**dij**e	**dij**imos		
decías	decíais	**dij**iste	**dij**isteis	**dicho**	diciendo
decía	decían	**dij**o	**dij**eron		
estaba	estábamos	**estuv**e	**estuv**imos		
estabas	estabais	**estuv**iste	**estuv**isteis	estado	estando
estaba	estaban	**estuv**o	**estuv**ieron		
había	habíamos	**hub**e	**hub**imos		
habías	habíais	**hub**iste	**hub**isteis	habido	habiendo
había	habían	**hub**o	**hub**ieron		
hacía	hacíamos	**hic**e	**hic**imos		
hacías	hacíais	**hic**iste	**hic**isteis	**hecho**	haciendo
hacía	hacían	**hiz**o	**hic**ieron		
iba	**íbamos**	**fui**	**fuimos**		
ibas	**ibais**	**fuiste**	**fuisteis**	ido	**yendo**
iba	**iban**	**fue**	**fueron**		
oía	oíamos	oí	oímos		
oías	oíais	oíste	oísteis	oído	oyendo
oía	oían	oyó	oyeron		
podía	podíamos	**pud**e	**pud**imos		
podías	podíais	**pud**iste	**pud**isteis	podido	pudiendo
podía	podían	**pud**o	**pud**ieron		
ponía	poníamos	**pus**e	**pus**imos		
ponías	poníais	**pus**iste	**pus**isteis	**puesto**	poniendo
ponía	ponían	**pus**o	**pus**ieron		
quería	queríamos	**quis**e	**quis**imos		
querías	queríais	**quis**iste	**quis**isteis	querido	queriendo
quería	querían	**quis**o	**quis**ieron		
sabía	sabíamos	**sup**e	**sup**imos		
sabías	sabíais	**sup**iste	**sup**isteis	sabido	sabiendo
sabía	sabían	**sup**o	**sup**ieron		
salía	salíamos	salí	salimos		
salías	salíais	saliste	salisteis	salido	saliendo
salía	salían	salió	salieron		
era	**éramos**	**fui**	**fuimos**		
eras	**erais**	**fuiste**	**fuisteis**	sido	siendo
era	**eran**	**fue**	**fueron**		
tenía	teníamos	**tuv**e	**tuv**imos		
tenías	teníais	**tuv**iste	**tuv**isteis	tenido	teniendo
tenía	tenían	**tuv**o	**tuv**ieron		
traía	traíamos	**traj**e	**traj**imos		
traías	traíais	**traj**iste	**traj**isteis	traído	trayendo
traía	traían	**traj**o	**traj**eron		
venía	veníamos	**vin**e	**vin**imos		
venías	veníais	**vin**iste	**vin**isteis	venido	viniendo
venía	venían	**vin**o	**vin**ieron		
veía	veíamos	vi	vimos		
veías	veíais	viste	visteis	**visto**	viendo
veía	veían	vio	vieron		

Glosario

UNIDAD 1 MI NUEVA VIDA			
ESPAÑOL	ENGLISH	FRANÇAIS	PORTUGUÊS
¡En marcha!			
invitar	to invite	inviter	convidar
empezar	to start	commencer	começar
(el) instituto	secondary school	(le) lycée	(a) escola secundária
tener ganas (de)	to feel like (doing something)	avoir envie (de)	ter vontade (de)
aburrido/a	bored	ennuyé, e / las, lasse	aborrecido/a
conocer	to know	connaître	conhecer
nadie	no one	personne	ninguém
tranquilo/a	don't worry	ne t'inquiètes pas	tranquilo/a, sossegado
(el) edificio	building	(l')édifice / le bâtiment	(o) edifício
histórico/a	historic	historique	histórico/a
bonito/a	pretty, beautiful	beau, belle	bonito/a
¡Estoy muy contento!			
(el) defecto	flaw	(le) défaut	(o) defeito
(la) cualidad	quality	(la) qualité	(a) qualidade
sociable	sociable	sociable	sociável
optimista	optimistic	optimiste	otimista
impaciente	impatient	impatient, e	impaciente
impulsivo/a	impulsive	impulsif, ive	impulsivo/a
(la) primera vez	first time	(la) première fois	(a) primeira vez
(la) experiencia	experience	(l')expérience	(a) experiência
supercontento/a	really happy	super content, e	muito contente
contento/a	happy	content, e	contente
triste	sad	triste	triste
enfadado/a	angry	fâché, e	zangado/a
deprimido/a	depressed	déprimé, e	deprimido/a
nervioso/a	nervous	nerveux, euse	nervoso/a
asustado/a	scared	effrayé, e	assustado/a
cansado/a	tired	fatigué, e	cansado/a
Mis nuevos amigos			
trasladarse	to move	déménager	mudar-se
(el) ángel	angel	ange	anjo
dirigirse (hacia, a)	to head for	se diriger (vers)	dirigir-se (para, a)
(el) asiento	seat	(le) siège	(o) assento
presentarse	to introduce oneself	se présenter	apresentar-se
(la) voz	voice	(la) voix	(a) voz
cantarín/a	sining, melodious	chantant, e	meliodioso/a
torpemente	awkwardly	maladroitement	desajeitadamente
juguetear	to play	jouer	brincar
(la) verdad	truth	(la) vérité	(a) verdade
(la) risa	laugh	(le) rire	(o) riso
(la) sonrisa	smile	(le) sourire	(o) sorriso

tranquilizarse	to calm down	se calmer	tranquilizar-se
suficiente	enough	suffisamment	suficiente
levantar	to raise	lever	levantar
tímido/a	shy	timide	tímido/a
compañero/a	classmate	camarade de classe	colega de classe
sentarse	to sit down	s'asseoir	sentar-se
sacar (un 10...)	to get (a 10...)	obtenir (10...)	tirar (um 10...)
muy	very	très	muito
bastante	quite	assez	bastante
un poco	a little	un peu	um pouco
nada	nothing	pas du tout	nada
estado de ánimo	mood	(l')humeur	estado de ânimo
(la) mímica	mime	(la) mimique	(a) mímica
adivinar	to guess	deviner	adivinhar
Mi nuevo "insti"			
sorprender	to surprise	surprendre	surpreender
(el) plano	plan	(le) plan	(a) planta
(el) comedor	lunchroom, cafeteria	(la) cantine	(a) cantina
(el) aula	classroom	(la) salle de classe	(a) sala de aulas
(el/los) lavabo/s	toilet/s	(les) toilettes	(o) banheiro
(el) patio	playground	(la) cour de récréation	(o) pátio
(el) gimnasio	gymnasium	(la) salle de sport	(o) ginásio
(el) pasillo	corridor	(le) couloir	(o) corredor
(la) secretaría	secretary	(le) secrétariat	(a) secretaria
(el) despacho	office	(le) bureau	(o) gabinete
(el/la) director/a	headmaster	(le, la) directeur, trice	(o/a) diretor/a
(el) centro	centre	(le) centre	(o) centro
diferente	different	différent, e	diferente
igual	like	pareil, eille	igual
tutear	to address informally	tutoyer	tratar por tu
(el) recreo	break	(la) récréation	(o) recreio
durar	to last	durer	durar
(las) vacaciones	holidays	(les) vacances	(as) férias
(la) nota	mark, grade	(la) note	(a) nota
(el) examen	exam	(l')examen	(o) exame
aproximadamente	approximately	environ	aproximadamente
¿Demasiados deberes?			
(la) noticia	article, piece of news	(l')article	(a) notícia
(el) periódico	newspaper	(le) journal	(o) jornal
estresado/a	stressed	stressé, e	stressado/a
(la) jornada	day	(la) journée	(a) jornada
llevarse	to take	emmener	levar (para casa)
(el) tiempo libre	free time	(le) temps libre	(o) tempo livre
(el) estrés	stress	(le) stress	(o) stress
(el) ejecutivo	business person	(le) cadre supérieur	(o) executivo
desconectar	to disconnect	déconnecter	desconectar

cursar	to study, to attend	étudier	frequentar
primaria	primary, elementary	primaire	primária
intentar	to try	essayer	tentar
(los) deberes	homework	(les) devoirs	(os) deveres
mandar	to send	donner	mandar
terminar	to finish	terminer	terminar
después (de)	after	après	depois (de)
conseguir	to obtain	obtenir	conseguir
(la) solución	solution	(la) solution	(a) solução
(la) petición	petition	(la) pétition	(o) pedido
calcular	to calculate	calculer	calcular
dedicar (a)	to dedicate (to)	consacrer (à)	dedicar (a)
demasiado/a/os/as	too much/many	trop	demasiado/a/os/as
mucho/a/os/as	a lot	beaucoup	muito/a/os/as
bastante/s	enough	assez	bastante/s
poco/a/os/as	few	peu	pouco/a/os/as
(el) gráfico	graphic	(le) graphique	(o) gráfico
(la) frase	sentence	(la) phrase	(a) frase
¿Quedamos el domingo?			
ver	to see	voir	ver
(el/la) músico/a	musician	(le, la) musicien, enne	(o/a) músico/a
callejero/a	street	de rue	de rua
(el) mercadillo	street market	(le) marché aux puces	(o) mercado das pulgas
de segunda mano	second-hand	d'occasion	de segunda mão
(el) perrito caliente	hot dog	(le) hot-dog	(o) cachorro-quente
(el) monumento	monument	(le) monument	(o) monumento
(la) antigüedad	antiques	(l')antiquité	(a) antiguidade
recomendar	to recommend	recommander	recomendar
proponer	to propose	proposer	propor
aceptar	to accept	accepter	aceitar
rechazar	to reject	refuser	rejeitar
excusarse	to excuse oneself	s'excuser	desculpar-se
decidir	to decide	décider	decidir
(la) propuesta	proposal	(la) proposition	(a) proposta
apetecer	to feel like doing something	tenter	apetecer
poder	to be able to	pouvoir	poder
quedar	to meet	se donner rendez-vous (avec)	encontrar-se
lo siento	I'm sorry	je suis désolé, e	lamento
no puedo	I can't	je ne peux pas	não posso
de acuerdo	agreed	d'accord	de acordo
vale	OK	O.K.	está bom
perfecto	perfect	parfait	perfeito
conmigo	with me	avec moi	comigo
contigo	with you	avec toi	contigo
(el) plan	plan	(le) plan	(o) plano

Este finde voy a...			
contar	to tell	raconter	contar
próximo	next	prochain	próximo
parque de atracciones	theme park	parc d'attractions	parque de diversões
(la) excursión	day trip	excursion	excursão
(la) bolera	bowling	(le) bowling	(o) bowling
ir	to go	aller	ir
venir	to come	venir	vir
llevar	to take	porter	levar
traer	to bring	amener	trazer
de buen / mal humor	good / bad mood	de bonne / mauvaise humeur	de bom / mau humor
perfecto	perfect	parfait	perfeito
sentirse	to feel	se sentir	sentir-se
pasear (por)	to stroll (along)	se promener (sur)	passear (por)
(la) comparación	comparison	(la) comparaison	(a) comparação
(el) museo	museum	(le) musée	(o) museu
Mis palabras			
(el/los) espacio/s	space/s	(l', les) espace, s	(o/os) espaço/s
vago/a	lazy	paresseux, euse	preguiçoso
(el) emoticono	emoticon	(l')émoticon	(o) emoticon
(la) fiesta	party	(la) fête	(a) festa
(el) mercado	market	(le) marché	(o) mercado
(el) concierto	concert	(le) concert	(o) concerto
La Ventana			
(el/la) pintor/a	painter	(le, la) peintre	(o/a) pintor/a
importante	major	important, e	importante
(el) retrato	painting	(le) portrait	(o) retrato
(la) aristocracia	aristocracy	(l')aristocratie	(a) aristocracia
(el) éxito	success	(le) succès	(o) êxito
nombrar	to name	nommer	nomear
(la) corte	court	(la) cour	(a) corte
(la) época	period	(l')époque	(a) época
pintar	to paint	peindre	pintar
(la) escena	scene	(la) scène	(a) cena
cotidiano/a	everyday	quotidien, enne	quotidiano/a
(el) ocio	leisure	(le) loisir	(o) ócio
(el) juego	game	(le) jeu	(o) jogo
(el) grabado	engraving	(la) gravure	(a) gravura
(la) ignorancia	ignorance	(l') ignorance	(a) ignorância
criticar	to criticise	critiquer	criticar
(la) superstición	superstition	(la) superstition	(a) superstição
(la) iglesia	church	(l')église	(a) igreja
(la) invasión	invasion	(l')invasion	(a) invasão
(la/s) tropa/s	troop	(les) troupes	(a/s) tropa/s
(el) corresponsal	correspondent	(le) correspondant	(o) correspondente

Glosario

describir	to describe	décrire	descrever
(el) personaje	character	(le) personnage	(o/a) personagem
Somos ciudadanos			
(la) mediación	mediation	(la) médiation	(a) mediação
escolar	school	scolaire	escolar
(el/la) mediador/a	mediator	(le, la) médiateur, trice	(o/a) mediador/a
empatizar	to empathise	compatir	empatizar
resolver	to resolve	régler	resolver
(el) conflicto	conflict	(le) conflit	(o) conflito
voluntario/a	voluntary	volontaire	voluntário/a
reformular	to reformulate	reformuler	reformular
(la) versión	version	(la) version	(a) versão
resumir	to summarise	résumer	resumir
Mis talleres de lengua			
grabar	to film	enregistrer	gravar
editar	to edit	publier	editar
(el) vídeo	video	(la) vidéo	(o) vídeo
(el) guion	script	(le) scénario	(o) guião
imaginario	imaginary	imaginaire	imaginário
(el) folleto	leaflet	(la) brochure	(o) folheto
crear	to create	créer	criar
imaginar	to imagine	imaginer	imaginar
(el) horario	timetable	(l')emploi du temps	(o) roteiro
representar	to represent	représenter	representar
(la) representación	representation	(la) représentation	(a) representação

UNIDAD 2 VIAJES Y AVENTURAS			
ESPAÑOL	ENGLISH	FRANÇAIS	PORTUGUÊS
¡En marcha!			
aburrirse	to get bored	s'ennuyer	aborrecer-se
pasarlo (muy) bien	to have a (very) good time	s'amuser (beaucoup)	divertir-se (muito)
(la) isla	island	(l')île	(a) ilha
turístico/a	touristy	touristique	turístico/a
recibir	to receive	recevoir	receber
(el) visitante	visitor	(le) visiteur, euse	(o) visitante
Una excursión al Teide			
conquistar	to conquer	conquérir	conquistar
(la) cima	peak	(le) sommet	(o) cume
elevado/a	high	élevé, e	elevado/a
(el) cráter	crater	(le) cratère	(a) cratera
(la) altitud	altitude	(l')altitude	(a) altitude
alcanzar	to reach	atteindre	alcançar
(la) cima	peak	(le) sommet	(o) cume
disfrutar	to enjoy	profiter (de)	desfrutar
(la/s) vista/s	view	(la, les) vue, s	(a/s) vista/s

(el) volcán	volcano	(le) volcan	(o) vulcão
(la) subida	climb	(l')ascension	(a) subida
(el) origen	origin	(l')origine	(a) origem
volcánico/a	volcanic	volcanique	vulcânico/a
(la) montaña	mountain	(la) montagne	(a) montanha
alto/a	tall	haut, e	alto/a
Hoy he ido a La Gomera			
(el) transporte	transport	(le) transport	(o) transporte
(el) barco	boat	(le) bateau	(o) barco
(el) avión	airplane	(l')avion	(o) avião
(el) tren	train	(le) train	(o) comboio, (o) trem
(el) teleférico	aerial tramway	(le) téléphérique	(o) teleférico
(el) ferry	ferry	(le) ferry	(o) ferry
(el) parque nacional	national park	(le) parc national	(o) parque nacional
¡Visitamos las Canarias!			
(la) información turística	tourist information	(l')information touristique	(a) informação turística
(el) kayak	kayak	(le) kayak	(o) caiaque
(el) acantilado	cliff	(la) falaise	(a) falésia
(la) experiencia	experience	(l')expérience	(a) experiência
emocionante	thrilling	palpitant, e	emocionante
(la) ballena	whale	(la) baleine	(a) baleia
(el) senderismo	hiking	(la) randonnée	(o) sendeirismo
temático/a	themed	à thèmes	temático/a
(la) ruta	route	(le) parcours	(a) rota
explorar	to explore	explorer	explorar
(el) clima	climate	(le) climat	(o) clima
¿Qué tiempo hace?			
nevar	to snow	neiger	nevar
llover	to rain	pleuvoir	chover
está nublado	it's cloudy	le ciel est couvert	está nublado
hay niebla	it's foggy	il y a du brouillard	há nevoeiro
dar una vuelta	to go for a stroll	faire un tour	dar uma volta
hacer windsurf	to do windsurfing	faire de la planche à voile	praticar windsurf
bañarse	to bathe	se baigner	tomar banho
tomar el sol	to sunbathe	prendre le soleil	apanhar sol
¡Una gran aventura!			
(el) paracaidismo	skydiving	(le) parachutisme	(o) pára-quedismo
(la) escalada	rock climbing	(l')escalade	(a) escalada
(el) rafting	rafting	(le) rafting	(o) rafting
(el) submarinismo	scuba diving	(la) plongée sous-marine	(o) submarinismo
(el) puenting	bungee jumping	(le) saut à l'élastique	(o) bungee-jumping
pescar	to fish	pêcher	pescar
(el) insecto	insect	(l')insecte	(o) inseto
(la) serpiente	snake	(le) serpent	(a) serpente
(la) montaña rusa	rollercoaster	(la) montagne russe	(a) montanha russa

dar miedo / asco / pereza / vergüenza...	to scare / disgust / to be lazy / embarrassed...	faire peur / dégoûter / avoir la flemme / faire honte...	dar medo / asco / perguiça / vergonha...
¡Puedes ganar un viaje!			
cien	one hundred	cent	cem
quinientos	five hundred	cinq cents	quinhentos
setecientos	seven hundred	sept cents	setecentos
novecientos	nine hundred	neuf cents	novecentos
mil	one thousand	mil, mille	mil
un millón	one million	un million	um milhão
Mi gramática			
hacer submarinismo	to do scuba diving	faire de la plongée	fazer submarinismo
(la) región	region	(la) région	(a) região
(el) medio de transporte	mode of transport	(le) moyen de transport	(o) meio de transporte
patinar	to roller skate	patiner	patinar
(el) parque	park	(le) parc	(o) parque
(la) panadería	bakery	(la) boulangerie	(a) padaria
(el) karaoke	karaoke	(le) karaoké	(o) karaoke
(el) bocadillo	sandwich	(le) sandwich	(a) sanduíche
(los) guantes	gloves	(les) gants	(as) luvas
(las) botas	boots	(les) bottes	(as) botas
(la) cámara de fotos	camera	(l')appareil photo	(a) máquina fotográfica
(la) ruina	ruin	(la) ruine	(a) ruina
preciosa	beautiful	magnifique	preciosa
(la) playa	beach	(la) plage	(a) praia
(el) habitante	inhabitant	(l')habitant	(o) habitante
Mis palabras			
quedarse	to stay	rester	ficar
quedar	to meet	se donner rendez-vous (avec)	encontrar-se
hacer vela	to sail	faire de la voile	praticar vela
(el) monopatín	skateboard	(le) skateboard	(o) skate
a pie	on foot	à pied	a pé
(el) río	river	(la) rivière / (le) fleuve	(o) rio
(el) lago	lake	(le) lac	(o) lago
(el) mar	sea	(la) mer	(o) mar
(la) lluvia	rain	(la) pluie	(a) chuva
(la) nieve	snow	(la) neige	(a) neve
(el) frío	cold	(le) froid	(o) frio
(el) calor	heat	(la) chaleur	(o) calor
(el) viento	wind	(le) vent	(o) vento
(la) niebla	fog	(la) brume / (le) brouillard	(o) nevoeiro
La Ventana			
(el) silbido	whistling	(le) sifflement	(o) assobio
(el) mundo	world	(le) monde	(o) mundo
(el) isleño	islander	(l')insulaire	(o) habitante das ilhas
transmitir	to communicate	transmettre	transmitir

(el) siglo	century	(le) siècle	(o) século
(el) lenguaje	language	(le) langage	(a) linguagem
(la) comunidad	community	(la) communauté	(a) comunidade
numerosa	large	nombreuse	numerosa
patrimonio de la humanidad	world heritage	patrimoine de l'humanité	património da humanidade
conservar	to preserve	conserver	conservar
(el) fenómeno geológico	geological phenomenon	(le) phénomène géologique	(o) fenómeno geológico
(la) especie	species	(l')espèce	(a) espécie
(la) presencia humana	human presence	(la) présence humaine	(a) presença humana
(el) comercio justo	fair trade	(le) commerce équitable	(o) comércio justo
(el) salario	salary	(le) salaire	(o) salário
(el) medio ambiente	environment	(l')environnement	(o) meio ambiente
artesanal	artisan	artisanal, e	artesanal
tradicional	traditional	traditionnel, elle	tradicional
justo/a	fair	juste	justo/a
(el) taller	workshop	(l')atelier	(o) ateliê
indígena	indigenous	indigène	indígena
orgulloso/a	proud	fier, fière	orgulhoso/a
(el) eslogan	slogan	(le) slogan	(o) slogan
fomentar	to promote	promouvoir	fomentar
Talleres de lengua			
(el) tique	ticket	(le) billet	(o) bilhete
(la) etiqueta	label	(l')étiquette	(a) etiqueta
(la) entrada de cine	cinema ticket	(l')entrée de cinéma	(o) bilhete / entrada de cinema
pegar	to stick	payer	pegar
(la) previsión meteorológica	weather forecast	(la) prévision météorologique	(a) previsão meteorológica
(el) mapa	map	(la) carte	(o) mapa
(el) póster	poster	(le) poster	(o) póster

UNIDAD 3 TODO CAMBIA			
ESPAÑOL	ENGLISH	FRANÇAIS	PORTUGUÊS
¡En marcha!			
(el) palo	pole	(le) mât	(o) pau
(el) jabón	soap	(le) savon	(o) sabão
(el) premio	prize	(le) prix	(o) prémio
conseguir	to achieve	réussir	conseguir
(el) centro histórico	historic centre, old town	(le) centre historique	(o) centro histórico
(la) casa-museo	house-museum	(la) maison-musée	(a) casa-museu
(el) poeta	poet	(le) poète	(o) poeta
Cuando era pequeño/a			
(el) aficionado	fan	(le) supporter	(o) adepto
(la) arena	sand	(le) sable	(a) areia
(el) color vivo	bright colour	(la) couleur vive	(a) cor viva
medir	to measure	mesurer	medir
(el) aspecto físico	physical appearance	(l')apparence physique	(o) aspecto físico

Glosario

Una infancia muy diferente			
(la) infancia	childhood	(l')enfance	(a) infância
(el) mapuche	Mapuche	(le) Mapuche	(o) mapuche
originario	native to	originaire	originário
numeroso	large	nombreux	numeroso
identificarse	to identify	s'identifier (à)	identificar-se
(el) relato	tale	(le) récit	(o) relato
(la) tarea	task	(le) travail	(a) tarefa
(la) oveja	sheep	(le) mouton	(a) ovelha
(el) cuero	hide	(le) cuir	(o) couro
(la) leña	firewood	(le) bois de chauffage	(a) lenha
Historia de la escuela			
encargarse (de)	to be responsible for	se charger (de)	encarregar-se (de)
(la) asistencia	attendance	(le) soin	(a) assistência
(la) atención médica / dental...	medical / dental treatment	(les) soins médicaux / dentaires...	(a) atenção médica / dental...
(la) higiene	hygiene	(l')hygiène	(a) higiene
Juegos tradicionales			
(el) juego de mesa	board game	(le) jeu de société	(o) jogo de mesa
(el) juego de rol	role play	(le) jeu de rôle	(o) jogo de representação
de pequeño	when you were a child	enfant (quand j'étais enfant)	quando era pequeno
(el) cuento	story	(le) conte	(o) conto
¿Cómo nos comunicamos?			
(el) siglo XVI / XX...	16th / 20th century	(le) XVIe / XXe siècle...	(o) século XVI / XX...
(la) actualidad	at present	(l')actualité	(a) atualidade
(la) prehistoria	pre-history	(la) préhistoire	(a) pré-história
(la) antigüedad	ancient times	(l')Antiquité	(a) antiguidade
encontrarse	to meet	se rencontrer	encontrar-se
(la) aplicación	application	(l')application	(a) aplicação
(el) pergamino	scroll	(le) parchemin	(o) pergaminho
(la) tableta	tablet	(la) tablette	(o/a) tablet
(el) walkman	Walkman	(le) baladeur	(o) walkman
(el) casete	cassette	(la) cassette	(a) cassete
(el) CD	CD	(le) CD	(o) CD
(el) tocadiscos	record player	(le) tourne-disque	(o) gira-discos
(el) DVD	DVD	(le) DVD	(o) DVD
Actualizando mi estado			
currar	to work	bosser	trabalhar
pillar	to catch	choper	apanhar
caducado	expired	périmé	expirado
(la) cobertura	coverage	(la) couverture	(a) cobertura
(el) perfil	profile	(le) profil	(o) perfil
agregar	to add	ajouter	acrescentar
(el) contacto	contact	(le) contact	(o) contacto
Mi gramática			
(la) costumbre	custom	(l')habitude	(o) costume

(la) pantalla	screen	(l')écran	(o) ecrã, (a) tela
(el) canal	channel	(la) chaîne	(o) canal
(la) cueva	cave	(la) grotte	(a) caverna
(la) fábrica	factory	(l')usine	(a) fábrica
subir nota	to raise a mark	augmenter sa note	subir nota
(la) autopista	motorway, highway	(l')autoroute	(a) autoestrada
seguir	to follow	suivre	seguindo
morir	to die	mourir	morrer
Mis palabras			
(la) coleta	pigtail	(la) couette	(o) rabo de cavalo
a principios de (los años 20...)	at the beginning of (the 1920s)	au début (des années 20...)	no início dos (anos 20...)
a finales de (los años 20...)	at the end of (the 1920s)	à la fin (des années 20...)	no final dos (anos 20...)
(la) educación obligatoria	compulsory education	(l')enseignement obligatoire	(a) educação obrigatória
(el) osito de peluche	teddy bear	(l')ours en peluche	(o) ursinho de peluche
(el) cambio	change	(le) changement	(a) mudança
La Ventana			
(los) incas	Incas	(les) Incas	(os) incas
(el) territorio	territory	(le) territoire	(o) território
defenderse	to defend oneself	se défendre	defender-se
conquistar	to conquer	conquérir	conquistar
(el) imperio	empire	(l')empire	(o) império
(la) guerra	war	(la) guerre	(a) guerra
ganar	to win	gagner	ganhar
independizarse	to become independent	prendre son indépendance	tornar-se independente
(el) plan	plan	(le) plan	(o) plano
resistir	to resist	résister	resistir
formar parte (de)	to be part (of)	faire partie (de)	formar parte (de)
recuperar	to recover	récupérer	recuperar
(el) antepasado	ancestor	(l')ancêtre	(o) antepassado
negociar	to negotiate	négocier	negociar
invadir	to invade	envahir	invadir
finalmente	finally	finalement	finalmente
reunirse	to gather	se rassembler	reunir-se
reivindicar	to stand up for	revendiquer	reivindicar
(el) derecho	right	(le) droit	(o) direito
(el) desierto	desert	(le) désert	(o) deserto
(el) hielo	ice	(la) glace	(o) gelo
(la) persona mayor	older person	(la) personne âgée	(a) pessoa mais velha / (o/a) idoso/a
existir	to exist	exister	existir
desaparecer	to disappear	disparaître	desaparecer
Somos ciudadanos			
(la) igualdad de género	gender equality	(l')égalité des sexes	(a) igualdade de género
(el) ministerio de (la mujer...)	ministry of (women)	(le) ministère de (la Femme...)	(o) ministério (da mulher...)
favorecer	to benefit	promouvoir	favorecer
propio (de) niños / niñas...	for boys / girls...	propre (aux) garçons / filles...	próprio (de) rapazes/raparigas...

colectivo	shared	collectif	coletivo
(el) rol predeterminado	predetermined role	(le) rôle prédéterminé	(o) papel predeterminado
fomentar	to encourage	promouvoir	fomentar
(la) desigualdad	inequality	(l')inégalité	(a) desigualdade
útil	useful	utile	útil
consistir (en)	to consist (of)	consister (à)	consistir (em)
(la) pluma	fountain pen	(la) plume	(a) pena
(la) tinta	ink	(l')encre	(a) tinta
antiguamente	in the past	autrefois	antigamente

UNIDAD 4 JÓVENES EXTRAORDINARIOS			
ESPAÑOL	ENGLISH	FRANÇAIS	PORTUGUÊS
¡En marcha!			
(el) campeonato	championship	(le) championnat	(o) campeonato
(el) corredor de motos	motorbike rider	(le) motocycliste	(o) piloto de motos
montar (en moto...)	to ride (a motorbike)	monter (à moto...)	montar (em moto...)
superguapo	really handsome	super beau	super-bonito
supersimpático	really nice	super sympa	super-simpático
(la) medalla de plata / oro...	silver / gold medal	(la) médaille d'argent / d'or...	(a) medalha de prata / ouro...
(los) Juegos Olímpicos	Olympic Games	(les) Jeux olympiques	(os) Jogos Olímpicos
(las) personalidades	public figures	(les) personnalités	(as) personalidades
Un joven rebelde			
(la) biografía	biography	(la) biographie	(a) biografia
(la) corriente artística	artistic movement	(le) courant artistique	(a) corrente artística
(el/la) artista	artist	(l')artiste	(o/a) artista
Bellas Artes	Fine Arts	(les) Beaux-Arts	Belas-artes
durante	for	pendant	durante
a los (15 años...)	at the age of (15...)	à l'âge de (15 ans...)	aos (15 anos...)
con (15 años...)	at the age of (15...)	à (15 ans...)	com (15 anos...)
nacer	to be born	naître	nascer
insolencia	insolence	(l')insolence	insolência
(la) obra	work	(l')œuvre	(a) obra
surrealista	surrealist	surréaliste	surrealista
(el) estilo propio	own style	(le) style propre	(o) estilo próprio
(la) hormiga	ant	(la) fourmi	(a) formiga
(el) amor	love	(l')amour	(o) amor
colaborar	to collaborate	collaborer	colaborar
(el) director de cine	film director	(le) réalisateur de cinéma	(o) realizador de cinema
(la) novela	novel	(le) roman	(o) romance
(el) diseño publicitario	marketing design	(le) dessin publicitaire	(o) desenho publicitário
(el) logo	logo	(le) logo	(o) logótipo
inaugurar	to inaugurate	inaugurer	inaugurar
participar	to participate	participer	participar

activamente	actively	activement	ativamente
traducir	translate	traduire	traduzir
Un artista completo			
(el) cuadro	painting	(le) tableau	(o) quadro
(la) escultura	sculpture	(la) sculpture	(a) escultura
(el) cajón	drawer	(le) tiroir	(a) gaveta
(el) reloj	clock, watch	(la) montre, l'horloge	(o) relógio
Recuerdos de juventud			
humilde	poor	humble	humilde
(1.ª) división de fútbol	football league (first) division	(1re) division de football	(1ª) divisão de futebol
(el) partido de fútbol / baloncesto...	football, soccer / basketball match, game	(le) match de football / basket-ball...	(o) jogo / (o) time de futebol / basquetebol...
(el) equipo de fútbol / baloncesto...	football / basketball team	(l')équipe de football / basket-ball...	(a) equipa de futebol / basquetebol...
(el) socio	season-ticket holder	(le) membre	(o) sócio
(el) aficionado	fan	(le) supporter	(o) adepto
(el) amor a primera vista	love at first sight	(le) coup de foudre	(o) amor à primeira vista
volverse	to become	devenir	tornar-se
inseparable	inseparable	inséparable	inseparável
llorar	to cry	pleurer	chorar
europeo/a	European	européen, enne	europeu/europeia
casarse (con)	to get married (to)	se marier (avec)	casar-se (com)
fichar (a un/-a jugador/a)	to sign (a player)	engager (un, e joueur, euse)	contratar (um/a jogador/a)
(el equipo) de mis / tus / sus sueños	(the team) of my dreams	(l'équipe) de mes / tes / ses rêves	(a equipa / o time) dos meus/teus/seus sonhos
admirar	to admire	admirer	admirar
Una deportista extraordinaria			
(el / la) deportista	sportsman/woman	(le, la) sportif, ive	(o/a) desportista, (o/a) esportista
(el / la) entrenador/a	trainer, coach	(l')entraîneur, euse	(o/a) treinador/a
(el / la) campeón/ona	champion	(le, la) champion, onne	(o/a) campeão/campeã
ganar una medalla / competición...	to win a medal / competition	remporter une médaille / compétition...	ganhar uma medalha/ competição...
estar orgulloso/a (de)	to be proud (of)	être fier, fière (de)	estar orgulhoso/a (de)
apoyar (a alguien)	to support (someone)	soutenir (quelqu'un)	apoiar (alguém)
(el / la) nadador/a	swimmer	(le, la) nageur, euse	(o/a) nadador/a
extraordinario	extraordinary	extraordinaire	extraordinário
luchar	to fight	lutter	lutar
parar	to stop	arrêter	parar
(la) discapacidad física / intelectual	physical / mental disability	(le) handicap physique / mental	(a) deficiência física / intelectual
parecido/a	similar	semblable	parecido/a
diferenciarse	to differ	différer	diferenciar-se
Test de personalidad			
estar preparado/a	to be prepared	être prêt, e	estar preparado/a
picante	spicy	piquant, e	picante
atreverse	to dare	oser	atrever-se

Glosario

felicitar	to congratulate	féliciter	felicitar
sentirse orgulloso/a	to feel proud	se sentir fier, fière	sentir-se orgulhoso/a
(la) película de terror	horror film	(le) film d'horreur	(o) filme de terror
hacerse amigo (de alguien)	to make friends (with someone)	devenir ami, e (de quelqu'un)	tornar-se amigo (de alguém)
solucionar	to resolve	résoudre	solucionar
enfadarse (con alguien)	to get angry (with someone)	se fâcher (avec quelqu'un)	zangar-se (com alguém)
sensible	sensitive	sensible	sensível
llegar a ser	to become	devenir	chegar a ser
(el / la) genio	genius	(le, la) génie	(o/a) génio
decidido/a	determined	décidé, e	decidido/a
confiar (en alguien)	to trust (in someone)	faire confiance (à quelqu'un)	confiar (em alguém)
hacer algo grande	to do something great	faire quelque chose d'important	fazer algo grandioso
(el / la) primer / primero/a	first	(le, la) premier, ère	(o/a) primeiro/a
Sueños hechos realidad			
conseguir (mis / tus / sus...) sueños	to achieve (my / your / his / her / their) dreams	atteindre (mes / tes / ses...) rêves	alcançar os (meus/teus/ seus...) sonhos
(el / la) representante (artístico)	(arts) agent	(le, la) représentant, e (artistique)	(o/a) representante (artístico)
(el / la) patrocinador/a	sponsor	(le, la) sponsor	(o/a) patrocinador/a
prepararse	to prepare oneself	se préparer	preparar-se
competir	to compete	faire de la compétition	competir
mundial	world	mondial, e	mundial
(el) mundial	world championship	(le) championnat du monde	(o) mundial
entrenar(se)	to train	(s')entraîner	treinar/treinar-se
(el / la) actor / actriz	actor / actress	(l')acteur, trice	(o/a) ator/atriz
(la) obra de teatro (musical)	play / musical	(la) pièce de théâtre (musical)	(a) obra de teatro (musical)
tener éxito	to be successful	avoir du succès	ter êxito
(el) papel en una película	part in a film	(le) rôle dans un film	(o) papel num filme
alejarse (de)	to move away (from)	s'éloigner (de)	afastar-se (de)
sufrir *bullying*	to suffer from bullying	souffrir de harcèlement scolaire	sofrer bullying (acosso escolar)
pasarlo mal	to have a bad time	passer un mauvais moment	passar mal
hacerse mayor	to get older	grandir	tornar-se crescido/a
de golpe	suddenly	d'un coup	de repente
increíble	incredible	incroyable	incrível
(el) esfuerzo	effort	(les) efforts	(o) esforço
recordar (algo) con emoción	to recall something with great emotion	se souvenir (de quelque chose) avec émotion	recordar (algo) com emoção
cambiar (de casa...)	to move (house)	changer (de maison...)	mudar (de casa...)
irse a vivir (a)	to go to live (in)	aller vivre (à)	ir viver (para)
separarse (de alguien)	to become separated (from someone)	se séparer (de quelqu'un)	separar-se (de alguém)

desde los 8 años / 2002 / entonces / ese momento...	from the age of 8 / 2002 / then / that moment...	depuis l'âge de 8 ans / depuis 2002 / dès lors / à partir de ce moment-là...	desde os 8 anos / 2002 / então / de esse momento...
hace (3 años)...	(3 years...) ago	il y a (3 ans...)	há (3 anos...)
Mi gramática			
(la) sílaba tónica	stressed syllable	(la) syllabe tonique	(a) sílaba tónica
(el) curso de surf	surfing course	(le) cours de surf	(o) curso de surf
a los (5...) años	at the age of (5...)	à l'âge de (5...) ans	aos (5...) anos
con (5...) años	at the age of (5...)	à (5...) ans	com (5...) anos
en (1998...)	in (1998...)	en (1998...)	em (1998...)
ayer	yesterday	hier	ontem
la semana pasada	last week	la semaine dernière	a semana passada
el año pasado	last year	l'année dernière	o ano passado
llegar justo a tiempo	to arrive just in time	arriver juste à temps	chegar mesmo a tempo
durante (veinte años...)	for (twenty years...)	durant (vingt ans...)	durante (vinte anos...)
de (2010) a (2014)	from (2010) to (2014)	de (2010) à (2014)	de (2010) a (2014)
saludar	to greet	saluer	cumprimentar
(el) ordinal	ordinal number	(le) nombre ordinal	(o) ordinal
(la) carrera	race	(la) course	(a) corrida
Mis palabras			
(el / la) dibujante	illustrator	(le, la) dessinateur, trice	(o/a) desenhador/a
(el / la) cantante	singer	(le, la) chanteur, euse	(o/a) cantor/a
atrevido/a	daring	intrépide	atrevido/a
inseguro/a	insecure	incertain, e	inseguro/a
(el / la) futbolista	footballer	(le, la) footballeur, euse	(o/a) futebolista
(el / la) atleta	athlete	(l')athlète	(o/a) atleta
(el / la) esquiador/a	skier	(le, la) skieur, euse	(o/a) esquiador/a
animar (a alguien)	to motivate (someone)	animer / encourager (quelqu'un)	animar (alguém)
acompañar (a alguien)	to accompany (someone)	accompagner (quelqu'un)	acompanhar (alguém)
hacer realidad un sueño	to make a dream reality	réaliser un rêve	tornar realidade um sonho
(la) pieza	piece	(la) pièce	(a) peça
(el) metal	metal	(le) métal	(o) metal
perder	to lose	perdre	perder
La Ventana			
(el) modernismo	Modernism	(le) modernisme	(o) modernismo
(el) movimiento artístico	artistic movement	(le) mouvement artistique	(o) movimento artístico
coincidir (con)	to coincide (with)	coïncider (avec)	coincidir (com)
llenarse (de)	to fill up (with)	s'emplir (de)	encher-se (de)
(el / la) arquitecto/a	architect	(l')architecte	(o/a) arquiteto/a
(la) chimenea	chimney	(la) cheminée	(a) chaminé
(el / la) representante (de)	representative	(le, la) représentant, e (de)	(o/a) representante (de)
estar enfermo	to be ill	être malade	estar doente
descansar	to rest	se reposer	descansar
desarrollar	to develop	développer	desenvolver
influir (en)	to influence	influer (sur)	influenciar (a)

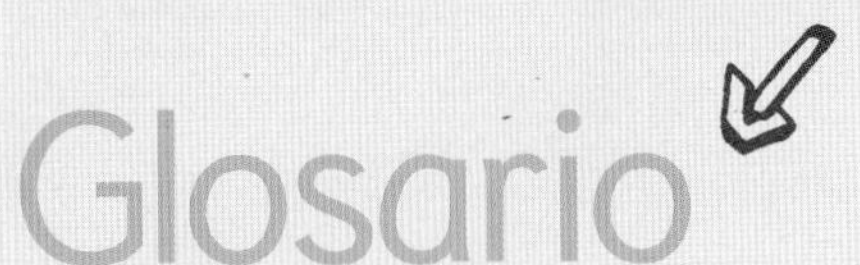

(el) acontecimiento	event	(l')événement	(o) acontecimento
dedicarse (a)	to work as	se consacrer (à)	dedicar-se (a)
Somos ciudadanos			
(la) autoestima	self-esteem	(l')amour-propre	(a) autoestima
fundamental	fundamental	fondamental	fundamental
enfrentarnos (a)	to deal with	être confronté, e (à)	enfrentarmo-nos (a)
de forma adecuada	suitably	de manière appropriée	de forma adequada
(la) vida diaria	everyday life	(la) vie quotidienne	(a) vida diária
(hacer algo) con normalidad	to do something smoothly	(faire quelque chose) normalement	(fazer algo) com normalidade
creer (en)	to believe (in)	croire (en)	acreditar (em)
(la) capacidad	ability	(la) capacité	(a) capacidade
valorar(se)	to appreciate oneself	(s')apprécier	dar valor a si próprio/a
(los) resultados escolares	school marks / grades	(les) résultats scolaires	(os) resultados escolares
generoso/a	generous	généreux, euse	generoso/a
(ser) de fiar	to be trustworthy	(être) digne de confiance	(ser) de confiança
aplicado/-a	hardworking	appliqué, e	aplicado/a
esforzarse	to make an effort	s'efforcer	esforçar-se
Mis talleres de lengua			
(la) línea del tiempo	timeline	(la) ligne du temps	(a) linha do tempo
(la) adolescencia	adolescence	(l')adolescence	(a) adolescência
encuadernar	to bind	relier	encadernar
(la) pasión	passion	(la) passion	(a) paixão
superar una dificultad	to overcome a difficulty	surmonter une difficulté	superar uma dificuldade
redactar	to write	rédiger	redigir

UNIDAD 5 GENTE CREATIVA			
ESPAÑOL	ENGLISH	FRANÇAIS	PORTUGUÊS
¡En marcha!			
regalar	to gift	offrir	oferecer, dar de presente
(la) joya	jewel	(le) bijou	(a) jóia
artesanal	handcrafted	artisanal, e	artesanal
decorar	to decorate	décorer	decorar
(el) marco	frame	(le) cadre	(a) moldura
(el) continente americano / europeo...	American / European continent	(le) continent américain / européen...	(o) continente americano / europeu...
azteca	Aztec	aztèque	azteca
Mis cosas favoritas			
(la) pulsera	bracelet	(le) bracelet	(a) pulseira
(el) pasaporte	passport	(le) passeport	(o) passaporte
(la) taza	mug	(la) tasse	(a) caneca
(el) puf	pouffe, ottoman	(le) pouf	(o) pufe
(la) cámara de fotos	camera	(l')appareil photo	(a) máquina fotográfica
(el) gorro	hat, knitcap	(le) bonnet	(o) gorro

comodísimo/a (cómodo/a)	really comfy	extrêmement confortable (confortable)	comodíssimo/a (cómodo/a)
calentísimo/a (caliente)	really warm	extrêmement chaud, e (chaud, e)	quentíssimo/a (quente)
(es) de lana / goma / madera / papel / plástico / tela...	it's made of wool / rubber / wood / paper / plastic / fabric...	(Il / elle est) en laine / caoutchouc / bois / papier / en plastique / tissu...	(é) de lã/borracha/madei-ra/papel/plástico/tecido...
quedar superbién / supermal / supergrande...	to fit (really) well / badly / to be too big...	aller (super) bien / mal / grand, e...	ficar (super) bem/mal/ grande...
ponerse	to put on	mettre	pôr-se
Crear o comprar			
comprobar	to check	vérifier	comprovar
pegar	to glue	coller	colar
(el) papel de cocina / de baño / de colores	kitchen / toilet / coloured paper	(l')essuie-tout / (le) papier toilette / papier de couleurs	(o) papel de cozinha/ higiénico/colorido
(la) trenza	plait, braid	(la) tresse	(a) trança
secarse	to dry	sécher	secar
(la) decoración	decoration	(la) décoration	(a) decoração
(la) calaverita (calavera)	little skull (skull)	(la) petite tête de mort (tête de mort)	(a) caveira pequena (caveira)
tener (algo) listo/a	to have (something) ready	avoir (quelque chose) prêt, e	ter (algo) pronto/a
tomar	to take	prendre	pegar
(el) rollo de cartón	cardboard tube	(le) rouleau en carton	(o) rolo de cartão
(la) bola de unicel / porexpán	Styrofoam / Porexpan ball	(la) boule en polystyrène / Porexpan	(a) bola de poliestireno/ porexpan
linda (bonita)	pretty	jolie	linda (bonita)
(la/s) pintura/s	paint	(la, les) peinture, s	(a/s) tinta/s
(la) muerte	death	(la) mort	(a) morte
sorprender	to surprise	surprendre	surpreender
honrar	to honour	honorer	honrar
dar pistas	to give clues	donner des pistes	dar pistas
¿Qué me pongo?			
(los) pantalones (cortos)	trousers / shorts	(le) pantalon (short)	(as) calças / (os) calções
(la) falda	skirt	(la) jupe	(a) saia
(el) vestido	dress	(la) robe	(o) vestido
(la) camiseta	t-shirt	(le) T-shirt	(a) camiseta, (a) camisola
(el) jersey	jumper, sweater	(le) pull-over	(o) suéter, pulôver
(los) zapatos	shoes	(les) chaussures	(os) sapatos
(el) abrigo	coat	(le) manteau	(o) casaco
(la) bufanda	scarf	(l')écharpe	(o) cachecol
(los) guantes	gloves	(les) gants	(as) luvas
(la) ropa interior	underwear	(les) sous-vêtements	(a) roupa interior
(la) renovación	overhaul	(le) renouvellement	(a) renovação
absolutamente todo	absolutely everything	absolument tout	absolutamente tudo
(los) accesorios	accessories	(les) accessoires	(os) acessórios
(el) biquini	bikini	(le) maillot deux-pièces	(o) biquíni
(la) prenda (de ropa)	item (of clothing)	(le) vêtement	(a) peça (de roupa)

Glosario

sucio/a	dirty	sale	sujo/a
roto/a	torn	abîmé, e / dechiré, e	roto/a
(la) mancha	stain	(la) tache	(a) mancha, nódoa
(la) rasgadura	tear	(la) déchirure	(o) rasgão
donar	to donate	donner	doar
(la) bolsa	bag	(le) sac	(o) saco
entregar	to hand over	livrer	entregar
(el) criterio	criterion	(le) critère	(o) critério
Estilo personal			
extravagante	extravagant	extravagant, e	extravagante
sencillo/a	simple	simple	simples
clásico/a	classic	classique	clássico
moderno/a	modern	moderne	moderno
elegante	elegant	élégant, e	elegante
deportivo/a	sporty	sportif, ive	desportivo, esportivo
(los) vaqueros	jeans	(le) jean	(as) calças de ganga / (os) jeans
(la) gorra	cap	(la) casquette	(a) gorra
(las) botas	boots	(les) bottes	(as) botas
(las) zapatillas de deporte	trainers, sneackers	(les) chaussures de sport	(as) sapatilhas desportivas
(las) medias	tights, pantyhose	(les) collants	(as) meias-calças
(la) sudadera	sweatshirt	(le) sweat-shirt	(a) sweatshirt
ancho/a	loose-fitting	large	largo/a
ajustado/a	tight	serré, e	apertado/a, justo
liso/a	plain	uni, e	liso/a
a rayas	striped	rayé, e	às riscas, de listras
fucsia	fuchsia	fuchsia	fúcsia
lila	lilac	lilas	lilás
morado/a	purple	mauve	roxo/a
estar de moda	to be in fashion	être à la mode	estar na moda
forma de vestir	way of dressing	façon de s'habiller	forma de vestir
tener un estilo deportivo / clásico...	to have a sporty / classic style...	avoir un style sportif / classique...	ter um estilo desportivo/ clássico...
transmitir	to communicate	transmettre	transmitir
(la) tribu urbana	subculture	(la) tribu urbaine	(a) tribo urbana
llamar la atención	to stand out	attirer l'attention	chamar a atenção
ropa práctica / original / de marca / cara / barata / nueva / de segunda mano / ajustada / ancha...	practical / original / branded / expensive / cheap / new / second-hand / tight / loose-fitting clothing	vêtements commodes / originaux / de marque / chers / pas chers / neufs / d'occasion / serrés / larges...	roupa prática/original/de marca/cara/ barata/nova/ de segunda mão/ajustada/ larga...
(los) colores fuertes / suaves...	bold / soft colours	(les) couleurs vives / douces...	(as) cores fortes/suaves...
Este me encanta			
cuál / cuáles	which	quel, quelle, quels, quelles	qual/quais
cuánto/a/os/as	how many/much	combien	quanto/a/os/as
¿Me puedo probar esa camiseta?			
instalarse	to set up	s'installer	instalar-se

(el) par (de zapatos / medias...)	pair (of shoes / tights)	(la) paire (de chaussures / collants...)	(o) par (de sapatos/ meias...)
quedar grande	to be too big	être grand	ficar grande
(la) talla	size	(la) taille	(o) tamanho
Mi gramática			
dejar	to lend	prêter	emprestar
enviar	to send	envoyer	enviar
dar la noticia (a alguien)	to break the news (to someone)	donner la nouvelle (à quelqu'un)	dar a notícia (a alguém)
avisar	to notify	avertir	avisar
(la) caja de cartón	cardboard box	(la) boîte en carton	(a) caixa de cartão
(el) sombrero	hat	(le) chapeau	(o) chapéu
(las) gafas de sol	sunglasses	(les) lunettes de soleil	(os) óculos de sol
devolver	to give back	rendre	devolver
(el) tutorial	tutorial	(le) didacticiel	(o) tutorial
(la) blusa	blouse	(le) chemisier	(a) blusa
precioso	beautiful	beau	muito bonito
(la) taquería	taco stand/restaurant	(le) restaurant de tacos	(a) restaurante de tacos
Mis palabras			
(los) calcetines	socks	(les) chaussettes	(as) meias
enseñar	to show	montrer	mostrar
probarse	to try on	essayer	experimentar
¿Cuánto cuesta/n…?	How much is it…?	Combien coûte... ?	Quanto custa/m...?
¿De qué talla es?	What size is it?	Quelle est sa taille ?	Qual é o tamanho?
¿Qué me pongo?	What shall I wear?	Qu'est-ce que je me mets ?	O que me ponho?
Me lo / la / los / las llevo	I'll take it / them	Je le / la / les prends	levo-o/s / levo-a/s
(el) collar	necklace	(le) collier	(o) colar
poner	to put	mettre	pôr/vestir
doblar	to fold	plier	dobrar
(la) tela	fabric	(le) tissu	(o) tecido
(el) pegamento	glue	(la) colle	(a) cola
(las) tijeras	scissors	(les) ciseaux	(a) tesoura
La Ventana			
(la) herencia	legacy	(l')héritage	(a) herança
precolombino/a	pre-Colombian	précolombien, enne	pré-colombiano/a
(la) artesanía	craftsmanship	(l')artisanat	(a) artesanato
descender	to descend from	descendre	descender
permanecer	to remain	demeurer	permanecer
(la) tradición	tradition	(la) tradition	(a) tradição
(la) costumbre	custom	(la) coutume	(o) costume
(la) riqueza	wealth	(la) richesse	(a) riqueza
(el) rasgo cultural	cultural trait	(le) trait culturel	(o) rasgo cultural
tener fama mundial	to be world renowned	avoir une renommée mondiale	ter fama mundial
(el) chamán	shaman	(le) chaman	(o) chamán (xamã)
(la) figura	figure	(la) figure	(a) figura

(el) dios	god	(le) dieu	(o) deus
sagrado/a	sacred	sacré, e	sagrado/a
colorida	colourful	colorée	colorida
(la) pluma	feather	(la) plume	(a) pena
(el) anillo	ring	(l')anneau	(o) anel
(la) cuenta (de cristal)	glass beads	(la) perle (en verre)	(a) conta (de vidro)
(la) corteza	bark	(l')écorce	(a) casca
recortar	to cut out	découper	recortar
(la) leyenda	legend	(la) légende	(a) lenda
(el) símbolo	symbol	(le) symbole	(o) símbolo
(la) época colonial	colonial period	(l')époque coloniale	(a) época colonial
Somos ciudadanos			
(el) síndrome de Down	Down syndrome	(la) trisomie 21	(a) síndrome de Down
(el) evento (de moda)	(fashion) event	(l')événement (de mode)	(o) evento (de moda)
(la) revista de moda	fashion magazine	(la) revue de mode	(a) revista de moda
(la) muñeca de trapo	rag doll	(la) poupée de chiffon	(a) boneca de trapos
(el) alfiler	pin	(l') épingle	(o) alfinete
darse por vencidos	to give up	se laisser abattre	dar-se por vencidos
(el) estímulo	encouragement	(l')encouragment	(o) estímulo
(la) fuerza de voluntad	will power	(la) force de volonté	(a) força de vontade
(la) creación	creation	(la) création	(a) criação
sentir pasión (por)	to be passionate (about)	se passionner (pour)	sentir paixão (por)
(la) oportunidad	opportunity	(la) chance	(a) oportunidade
cumplir con (tus) sueños	to achieve (your) dreams	réaliser (tes) rêves	cumprir os (teus) sonhos
(la) igualdad de oportunidades	equal opportunities	(l')égalité des chances	(a) igualdade de oportunidades
Mis talleres de lengua			
ensayar	to rehearse	répéter	ensaiar
(el) desfile de moda	fashion show	(le) défilé de mode	(o) desfile de moda
(la) tendencia de moda	fashion trend	(la) tendance de la mode	(a) tendência da moda
(el / la) presentador/a	presenter	(le, la) présentateur, trice	(o/a) apresentador/a
(la) pasarela	catwalk	(le) podium	(a) passarela
juvenil	youth	jeune	juvenil
desfilar	to walk (down catwalk)	défiler	desfilar
(el / la) cliente/a	customer	(le, la) client, e	(o/a) cliente

MAPA POLÍTICO DE ESPAÑA

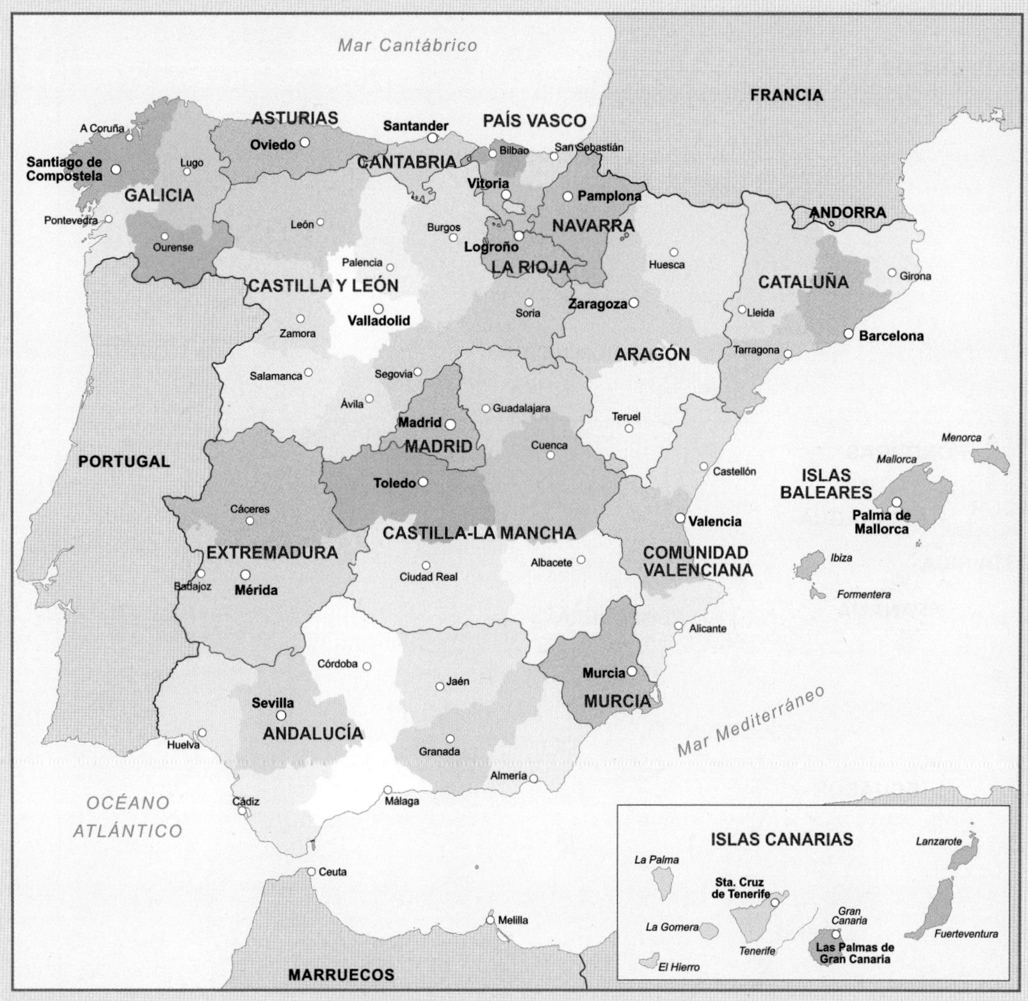

MAPA FÍSICO DE ESPAÑA

MAPAS DE AMÉRICA LATINA

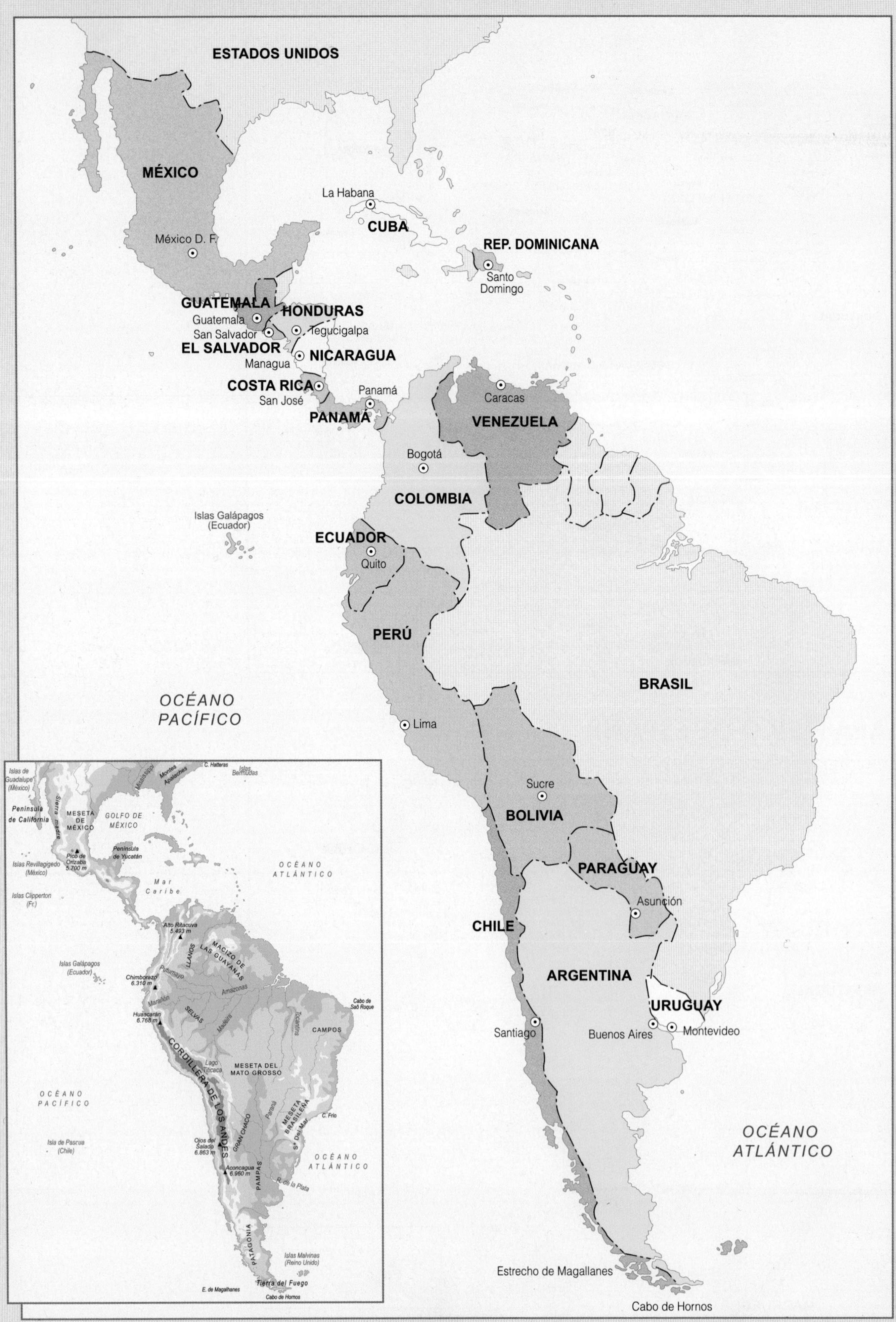